Née en 1972. Après le bac, direction l'école Estienne où Véronique Ovaldé passe un BTS édition, une façon comme une autre d'entrer dans le milieu littéraire lorsque l'on ne fait pas partie de ce cercle très fermé. Elle reprend des études de lettres par correspondance et travaille comme chef de fabrication puis comme éditrice. Elle publie en 2000 son premier roman, *Le sommeil des poissons*. En 2002, elle signe, avec *Toutes choses scintillant*, une seconde œuvre remarquée. Elle publie en 2005 *Déloger l'animal*, une œuvre incontournable de la rentrée littéraire. Dans son roman à la fois sombre et merveilleux, *Et mon cœur transparent*, Véronique Ovaldé réussit à nouveau à créer un univers singulier. Son dernier roman a été récompensé par le Prix France Culture/Télérama.

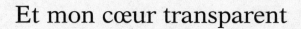

Et mon cœur transparent

Du même auteur
aux Éditions J'ai lu

TOUTES CHOSES SCINTILLANT

N° 7730

LES HOMMES EN GÉNÉRAL
ME PLAISENT BEAUCOUP

N° 8102

DÉLOGER L'ANIMAL

N° 8866

Véronique
OVALDÉ

Et mon cœur transparent

ROMAN

J'AI LU

I

1

La femme de Lancelot est morte cette nuit.

Le jour de leur rencontre, quand il lui avait annoncé, Je m'appelle Lancelot, il avait pris un air tout à fait désolé, un air contrit qui l'avait conquise. Elle avait répondu, Eh bien, qu'à cela ne tienne, je t'appellerai Paul. Elle avait éclaté de rire quand il avait ajouté que son patronyme était Rubinstein. Lancelot Rubinstein. Il s'était senti à la fois vexé et charmé par le rire de sa femme – qui n'était pas encore sa femme. Elle avait un rire qui rebondissait, un rire qui faisait de petits sauts sur les surfaces lisses et réfléchissantes alentour. Lancelot Rubinstein s'était dit qu'il allait avoir du mal dorénavant à s'en passer. Ç'avait à voir avec quelque chose de chaud et de laineux. C'était ce qu'il s'était dit ce soir-là, le soir du jour de sa rencontre avec sa femme. Lancelot était un homme qui pouvait penser qu'un rire était chaud et laineux.

Lancelot a donc perdu cette nuit sa femme qui l'appelait Paul.

La nuit qui va commencer le deuil de Lancelot est glaciale, c'est une nuit de blizzard et de gel noir. Lancelot et sa femme habitent Catano, une commune un peu isolée pas très loin de Milena.

Une sorte de faubourg élastique. Milena est la cité la plus intéressante à plusieurs kilomètres à la ronde ; on y trouve une université, des bars ouverts le dimanche, de la drogue, des épiciers (pas simplement d'immenses supermarchés accessibles en voiture), un festival de courts-métrages et deux théâtres, dont l'un entièrement dévolu aux marionnettes d'animaux. Milena est le centre d'une région du monde où il fait froid quasiment toute l'année avec quelques pointes en février. Dans les forêts autour de Catano il y a encore des ours et des loups, on y braconne aisément des lièvres arctiques, des hermines et des renards blancs. À Milena on peut revendre la peau de toutes ces bestioles. Il y a là-bas des gens qui savent quoi en faire et à qui les céder à un prix exorbitant.

Cette nuit-là, Lancelot ne dort pas. Il est assis dans son fauteuil favori en cuir tressé avec des coussins en faux zèbre pour la tête. Quand le téléphone se met à sonner, il est en train de visionner une émission sur les gazelles de Thomson qu'il a enregistrée et mise en sourdine. Merde, se dit-il en fronçant les sourcils, ils pourraient faire gaffe de ne pas appeler à cette heure, ça pourrait réveiller les enfants.

Les enfants dont il se préoccupe à cet instant sont des enfants imaginaires.

Lancelot et sa femme n'ont pas d'enfants. Malgré cette réalité incontestable, au moment où la sonnerie inopportune retentit, sa toute première pensée se dirige droit vers ses enfants imaginaires. Il fronce les sourcils, se rabroue, il décroche :

Allô ?

Lancelot Rubinstein ? (Il y a pas mal d'incertitude dans la voix de son interlocuteur quand il prononce ce nom, la voix d'ailleurs évoque quelqu'un à Lancelot, Robert Mitchum peut-être ?)

Oui.

Police de Milena.

Ah ? (Là Lancelot se demande s'il a bien pensé à valider son permis de pêche, s'il n'a plus de cannabis dans la boîte à outils sur l'étagère du fond dans le garage et s'il a bien réactualisé son assurance auto.)

C'est à propos de votre femme.

Ma femme ?

Vous avez bien une femme ?

Oui oui bien entendu, j'étais encore il y a un quart d'heure au téléphone avec elle.

Il faudrait que vous vous rendiez tout de suite au pont d'Omoko.

Pourquoi ?

Votre femme a eu un accident.

Au pont d'Omoko ?

Oui.

C'est impossible. Ce n'est pas ma femme. Il y a un quart d'heure, ma femme était à l'aéroport en train d'attendre son vol (Lancelot se renfonce dans son fauteuil en cuir tressé et prend un coussin en faux zèbre qu'il presse contre son estomac). Je l'y ai moi-même accompagnée dans la soirée.

Votre femme s'appelle bien Irina Rubinstein ?

Oui (Lancelot prend un deuxième coussin, puis un troisième, entassant des couches de protection sur son ventre).

Alors je vous conseille de venir au plus vite avant qu'on arrive à la sortir de son engin pour l'emmener… (le type hésite, il toussote) à l'hôpital ? (Il n'a pas l'air très sûr que c'est l'endroit où va être transférée Irina Rubinstein.)

Lancelot avale sa salive, serre contre son estomac son bouclier de fausse peau de zèbre, il sent la panique qui commence à le prendre, elle arrive par le bout de ses doigts, il la sent très précisément s'emparer de la pulpe de ses doigts et remonter le long de ses nerfs, il aimerait enrayer le processus, mais la panique est là, elle investit son corps entier et son cerveau, elle se loge brutalement dans son sternum comme un uppercut, il n'arrive plus à respirer, son champ de vision se rétrécit (Je vais tomber dans les pommes ? se demande-t-il), puis s'élargit de nouveau, il dit, J'arrive. Mais aucun son ne sort de sa bouche. Alors il s'éclaircit la gorge et prononce, J'arrive. Il n'est pas tout à fait certain que Robert Mitchum l'ait entendu mais ça n'a pas d'importance. Lancelot raccroche, se lève, attrape les clés de la voiture, descend au garage, et démarre pour foncer dans la nuit et la neige. Il oublie de se préoccuper de ses enfants imaginaires. Il ne fait que se précipiter vers Irina, son étoile, son trésor, sa lumière, il ne fait que conjurer ce qu'il soupçonne déjà en répétant, Non non non non non, comme par-devers lui, il le dit les dents serrées et ce rythme devient comme un autre bourdonnement de son corps, il démarre et reste collé au volant pour avancer plus vite et pour mieux voir la neige qui tourne et virevolte avec une sorte d'allégresse indécente, Lancelot aimerait bien aller plus vite encore et inverser le temps afin de suspendre l'arrivée du drame qui vient de surgir dans sa vie et qui va, il le devine, accaparer dorénavant toute la place.

2

À l'époque où Lancelot avait rencontré Irina il était déjà marié.

Mais chaque jour passé avec sa femme, Elisabeth, le laissait plus perplexe, que pouvait-il bien fabriquer avec elle et qu'avait-il pu imaginer faire avec elle ?

Elisabeth était institutrice et elle avait acquis, depuis le temps qu'elle exerçait ce métier, une façon très particulière de s'adresser aux gens. Elle semblait confondre les enfants dont elle s'occupait en classe et les adultes qu'elle était amenée à côtoyer. Par exemple elle demandait à Lancelot, Pourrais-tu préparer ce délicieux gâteau au chocolat (elle prononçait sa requête en séparant excessivement chaque syllabe comme si elle la lui dictait, et elle grimaçait avec effort, paraissant effectuer des exercices complexes pour atténuer ses rides) dans lequel tu ne mettras évidemment pas de rhum et que tu voudras bien s'il te plaît couper (là elle mimait avec sa main droite un couteau invisible) en parts égales pour que ce soit plus simple avec les petits.

Lancelot la regardait, se demandait ce qu'il faisait avec elle et préparait son délicieux gâteau au chocolat pour le carnaval de l'école.

Lancelot restait à la maison toute la journée et corrigeait des épreuves. Il s'asseyait à son bureau tôt le matin juste après le départ d'Elisabeth, il commençait son travail, s'interrompait vers onze heures trente pour se préparer un sandwich, il allumait la radio, écoutait les émissions politico-comiques de l'heure, éteignait la radio, se mettait à la fenêtre afin de manger debout son sandwich plein de cornichons (ça lui titillait la mâchoire et le faisait saliver), en observant ce qui se passait dans l'arbre de la cour. Il se passait un tas de choses dans ce camphrier. C'était un arbre tout à fait exceptionnel. À l'époque Lancelot et sa femme habitaient à Camerone, une très grande ville, et qu'un arbre comme celui-ci ait pu survivre aux attaques toxiques, aux bombardements de la dernière guerre et aux étranges virus qui avaient décimé toute la population de camphriers de la région relevait en soi du miracle. Lancelot pouvait contempler des heures son camphrier miraculeux. Quelques chats y habitaient (il soupçonnait même qu'il ne s'agissait pas de chats mais plutôt d'opossums, il était sûr d'en avoir surpris certains s'assoupissant tête en bas, queue enroulée autour d'une branche, la preuve en était leur facile cohabitation – leur complicité – avec les oiseaux de l'arbre), Lancelot penchait la tête, tentant d'être le plus immobile possible, essayant de réduire sa respiration à l'extrême, se tenant en équilibre à la poignée de la fenêtre pour ne pas perdre pied et regardant son camphrier et les chats qui se prenaient pour des opossums.

Il étudiait avec application les rais du soleil dans l'arbre que la brise faisait frémir. Les ombres tremblaient délicatement tout autour de Lancelot. Après avoir longuement contemplé le camphrier, il revenait à sa lecture d'épreuves et se remettait au travail avec une certaine délectation, semblable à la plénitude qu'il ressentait enfant quand, dans la pièce à côté, maman préparait le dîner (c'est exactement ce qu'il se disait quand il essayait de préciser sa pensée (et Lancelot était un homme qui pouvait se vouloir précis), il se disait, Ça me rappelle quand j'étais enfant, quand maman préparait le dîner et que j'entendais la radio bourdonner des choses inaudibles, je me sentais bien, aussi bien que maintenant...). Alors il souriait et goûtait cette volupté, il se rejetait un instant en arrière sur le dossier de sa chaise et souriait, arrivant presque à oublier que sa femme Elisabeth allait rentrer bientôt et qu'elle allait lui parler comme s'il avait cinq ans.

Ce fut en rencontrant Irina qu'il se rendit compte de l'énorme trou qu'était sa vie.

3

Elisabeth partit un jour en excursion avec ses élèves.

Ils s'étaient tous entassés dans un car et ils étaient allés camper, équipés de tentes poreuses et de foulards chamarrés – sa femme les avait confectionnés elle-même, plusieurs soirs de suite, dans le salon, en pédalant sur sa machine à coudre, elle étalait les morceaux de tissus et les triait selon un code couleur que Lancelot ne comprenait pas bien, il regardait d'ailleurs pendant ce temps-là des émissions sur les derniers dinosaures ou sur les grands fauves, ce qui n'améliorait en rien sa compréhension de la vaste entreprise de son épouse, il l'entendait vaguement expliquer (à lui ?) comment elle avait déterminé le choix des tissus et des motifs (il n'y avait que lui dans cette pièce) et combien ce choix faciliterait aux moniteurs le sauvetage et l'identification des enfants si d'aventure l'un d'entre eux dégringolait dans une crevasse et appelait au secours en agitant son foulard de couleur au bout de son petit bras désespéré. Lancelot opinait tout en assistant à la complète disparition des derniers diplos mexicains sous un jet de météorites, utilisant le reste de son cerveau pour penser à la recette de thon mijoté au soja et au sucre qu'il se proposait de mitonner le lendemain, et aussi pour retrouver, s'éloignant de son salon à une vitesse vertigineuse, des moments doux de son enfance partagés avec sa jolie cousine Mimi qui appartenait à une branche décadente de sa famille, lisait des bandes dessinées pour adultes et l'initiait aux divers agréments de leurs corps. Il concluait sa réflexion en se disant qu'assurément il y avait des activités beaucoup plus édifiantes pour de jeunes enfants que d'aller crapahuter en montagne avec une maîtresse d'école un peu dérangée. Il jetait par intermittence un œil vers sa femme, ajoutant pour lui-même, Cette femme est ma femme, il laissait cette phrase prendre sens en son esprit, soupirait imperceptiblement et se demandait à quel moment tout avait déraillé.

Elle était partie le surlendemain et Lancelot avait erré dans l'appartement vide avec une grande délectation d'abord, puis un rien d'anxiété.

Pour combler son soudain désœuvrement, il s'était mis à observer les meubles qui occupaient sa vie. Il était passé avec satisfaction de pièce en pièce, sans les toucher, les regardant comme s'il les découvrait, les examinant les uns après les autres et les cataloguant (ceux auxquels il tenait vraiment (que faire en cas de conflit armé ? les laisser sur place ou tenter d'en sauver quelques-uns ?), ceux qui lui paraissaient moins indispensables et ceux qui avaient des noms suédois). Lancelot établissait son palmarès des meubles, bras croisés. Il y avait la table Noguchi qui l'emplissait de bonheur, la bibliothèque Charlotte Perriand et le fauteuil qui ressemblait à s'y méprendre à celui qui trône encore dans la villa Savoye. Toute une existence à choisir, acheter, agencer et entretenir son tombeau.

Quand Lancelot se souvenait de ce jour-là, il tentait toujours de se rappeler si le début de sa matinée avait été particulier, si un indice aurait pu l'avertir que cette journée allait bouleverser sa vie, si la lumière avait eu quelque chose de spécial, s'il se déroulait les mêmes événements que d'habitude dans le camphrier de la cour, si le monde tournait selon sa révolution coutumière.

C'était le jour où il avait rencontré Irina.

Ça lui paraissait incroyable, après coup, que cette journée eût pu commencer comme une banale journée de semaine.

Il s'était mis au travail et avait fini vers onze heures sa relecture d'épreuves, il avait appelé l'éditeur pour lequel il travaillait afin de l'en avertir :

Bonjour c'est Lancelot.

Ah ça va Lancelot ?

Oui… mmmh… j'ai fini ma relecture… (Il s'est demandé pourquoi il accompagnait toujours ses conversations téléphoniques avec cet éditeur de petits bruits de bouche, peut-être cet homme le mettait-il mal à l'aise, cet embarras l'obligeait parfois à émettre quelques blagues absurdes qui ne faisaient que confirmer pour son interlocuteur que le choix de vie des correcteurs (je vis je mange je dors je me branle je travaille chez moi, envoyez-moi donc un coursier) était un choix de sociopathe.)

Eh bien dansez maintenant, répondit l'éditeur qui s'essayait lui-même à une certaine forme d'humour encore vierge.

Pardon ?

Non non rien Lancelot… c'était juste une blague… je voulais simplement dire que je n'avais rien à te refiler avant lundi, je peux t'envoyer un coursier et…

Non, fit Lancelot en jetant un œil à son camphrier, une hanche posée sur la commode où vivait son téléphone. Je crois que je vais sortir… je vais t'apporter les épreuves…

Ah ? Un petit tour en ville ? s'étonna l'éditeur pour se montrer sympathique mais sa remarque conforta Lancelot dans la conviction que celui-ci le considérait comme un exclu.

Oui. Non.

Comme il te plaira.

À tout à l'heure.

Lancelot raccrocha et resta perdu dans l'enchantement que provoquait en lui la vue de son camphrier (il décela la présence d'un couple de merles albinos), il s'approcha de la fenêtre, hocha la tête, ouvrit les deux vantaux et écouta le bruit de l'arbre assoupi, puis il s'arracha à sa rêverie, s'empara d'une enveloppe en kraft qui avait déjà servi, crayonna avec application le nom du précédent destinataire (lui), enfila un pull et sortit.

Juste avant de sortir il remarqua quelque chose dans l'entrée qui retint son attention.

J'étais sûr, se dit-il, qu'ici même il y avait une armoire.

Il demeura perplexe un instant.

Si l'armoire avait disparu, est-ce que tout ce qu'elle contenait avait disparu aussi ?

Lancelot fit une moue dubitative pour lui seul, amorça un signe de tête comme s'il saluait l'armoire absente et s'en alla en claquant la porte. Il ne s'étonnait pas qu'une armoire disparaisse. Le monde de Lancelot était mouvant et précaire et les choses apparaissaient et disparaissaient selon une logique qui lui échappait mais qu'il acceptait facilement. Lancelot aimait que les choses s'égarent. Ça lui rappelait en douceur l'existence de dimensions parallèles.

Il sortit dans la neige de pétales de cerisier (qui parsemaient le sol de minuscules pastilles blanches), et le temps était si délicieux qu'il décida d'aller à pied jusqu'à la maison d'édition. Il en aurait peut-être pour une heure mais de toute façon il ne voyait pas bien ce qu'il allait pouvoir faire de tout ce temps vacant qui lui restait avant sa prochaine correction, si ce n'est le remplir en regardant les chats sauter de branche en branche, en lisant un roman policier (quelque chose de classique, un Agatha Christie sans doute) et en buvant du thé vert. Lancelot ne cultivait aucune vie sociale parce que celle-ci lui aurait donné l'impression de disperser son attention, il lui aurait semblé semer de petits cailloux de sollicitude, d'amitié et de temps disponible, ce qui ne lui paraissait ni honnête ni souhaitable. Lancelot entretenait une agréable solitude – comme d'autres s'adonnent à un sport ou prennent soin de leur bonsaï – simplement ponctuée par les leçons de choses de son épouse.

Il marcha un moment et passa devant la boutique d'un fleuriste dont l'enseigne en anglaises aux arabesques outrées calligraphiait un : *Il était une rose…* (les points de suspension faisaient partie du nom de la boutique). Il s'arrêta pour considérer les bouquets tout prêts qui patientaient dans leur sachet transparent rempli d'eau. La commerçante bondit de son échoppe, Lancelot lui adressa alors un signe de dénégation, il reprit sa route d'un pas mesuré, mais fut stoppé tout net dans son cheminement par une chose tombée du ciel et atterrissant sur sa tête, une chose qui devait faire, mettons, vingt-cinq centimètres sur dix de hauteur, d'une texture très douce qui suggéra à Lancelot le velours d'une tenture ou bien alors ce qui s'appelle communément de la peau retournée, ce qui n'a jamais rien évoqué à Lancelot parce qu'il a l'impression qu'on lui parle de l'intérieur de la peau, et comment croire que l'intérieur de la peau soit aussi doux que du velours. Donc Lancelot reçut sur la tête un objet d'un format moyen et d'une texture douce muni d'un talon de dix centimètres entièrement recouvert de métal.

Le talon lui entailla légèrement le crâne.

Lancelot émit une exclamation de surprise et de douleur, il voulut lever le nez mais eut un bref étourdissement, une sorte d'éclair dans le coin gauche de son œil gauche, qui lui fit préférer se pencher pour ramasser l'objet (une chaussure de femme très élégante taille 37) qui avait valdingué dans le caniveau. Il se dit en l'examinant attentivement, C'est un objet parfait. Et au moment où il se disait cela, il entendit un cri au-dessus de lui.

Il leva la tête en espérant apercevoir la personne qui portait ordinairement cette chaussure et que la personne, il se surprit à cet espoir, serait à l'aune de la perfection de l'objet.

Il ne vit rien d'autre qu'une fenêtre ouverte au deuxième étage de l'immeuble, et à moins que la chaussure n'ait dégringolé directement du ciel, ce qui était somme toute une hypothèse trop audacieuse, il y avait de fortes chances qu'elle fût passée par cette fenêtre.

Lancelot eut une hésitation, oscilla un instant, le nez en l'air à regarder cette fenêtre, puis se dirigea résolument vers la porte cochère entrouverte de l'immeuble. Ce n'était pas une mince affaire pour un homme comme Lancelot qui avait, depuis si longtemps, fait vœu de passivité. Son culte de l'inertie l'avait souvent mis à la merci de la tyrannie et de la dépendance mais lui avait permis, ce qui pour Lancelot n'avait pas de prix, un lent et plaisant étiolement. C'était une agréable façon de vivre très légèrement à côté des choses. Une absence paisible aux autres.

Et malgré la tranquille étrangeté au monde que Lancelot cultivait, malgré l'immobilité choisie de sa vie végétative, il poussa la porte sans plus réfléchir à ce qu'il faisait ainsi voler en morceaux.

Il pénétra dans une cour intérieure pavée et ornée de gros pots d'hortensias tristes et bêtement roses, il grimpa l'escalier qui lui paraissait le plus approprié pour atteindre l'étage de la fenêtre susdite (un escalier incroyable, avec des marches en pierre si usées qu'elles en étaient devenues concaves, elles penchaient étrangement du côté de la rampe, la meilleure solution pour les gravir semblait alors de longer le mur en surveillant le tremblement dont la rampe était prise quand vous atteigniez un palier). Lancelot se dit, Je ne vais peut-être pas pouvoir repartir d'ici, et parvint finalement au deuxième palier. Il frappa à la porte adéquate (il entendait un grand remue-ménage à l'intérieur), attendit une seconde, frappa de nouveau, se baissa pour voir le nom sur l'étiquette du battant, Irina quelque chose, et au moment où il se baissait, toujours dans cette posture désavantageuse (le cou avancé, le dos bossu), la porte s'ouvrit à la volée sur une femme qui le dévisagea :

Quoi ? cria-t-elle comme s'il n'était pas à quinze centimètres d'elle.

Je viens pour la chaussure, émit Lancelot en essayant de reprendre ce que sa mère appelait une contenance, agitant dans sa main droite la chaussure en question, et gardant le bras gauche bien serré contre lui pour protéger son paquet d'épreuves de foudres éventuelles.

Quelle chaussure ?

Elle est tombée sur le trottoir. (Lancelot se sentit tout à coup très las face à cette créature si peu amène.) D'abord sur ma tête puis sur le trottoir.

Et alors ?

Je pensais qu'elle était passée par votre fenêtre.

La jeune femme le considéra, considéra la chaussure, puis parut comprendre de quoi il retournait. Elle fit volte-face et cria à l'appartement derrière elle, Connard numéro un, il y a Connard numéro deux (Lancelot déglutit) qui s'est ramassé une chaussure de ta pétasse sur la tête, t'en débarrasserais-tu en les jetant par les fenêtres pour que je ne les trouve pas ?

Lancelot se dit, Il est temps que je m'éclipse.

Le visage d'un type beaucoup plus vieux qu'elle apparut à la porte de l'une des pièces qui donnaient dans l'entrée, Lancelot se répéta, Il faut vraiment que je m'éclipse, le type les regarda, Tu le connais ? demanda-t-il à la jeune femme, Lancelot se sentait de plus en plus fatigué, on lui aurait demandé quel âge il avait, il aurait répondu, Cent deux ans, il pensa à la façon dont sa journée avait commencé, il pensa aux pétales de cerisier éparpillés sur le sol, il soupira, il émit, Je vous laisse, il lança la chaussure au type qui sortit un bras pour l'attraper au vol, Reprenez votre bien, articula Lancelot avec ce qu'il espérait être une forme de panache, et il fit demi-tour. Il descendit l'escalier avec la même technique prudente que lorsqu'il l'avait gravi précédemment, il passa devant les hortensias accablés de la cour et ressortit dans la quiétude de la rue, se rendant compte alors combien la fraîcheur de vieille pierre de l'immeuble avait à voir avec celle d'un caveau. Lancelot frissonna, murmura, Où en étais-je ? tentant de retrouver par là même l'agréable disposition dans laquelle il se trouvait avant ce fâcheux incident, humant l'air alentour, fermant les yeux une seconde pour se concentrer et refouler quelque bouffée d'angoisse qui parfois le surprenait en pleine rue (et qui avait à voir avec une vexation quelconque le projetant instantanément au temps de son enfance, Je suis un petit garçon calme et sérieux et incompris et déjà nostalgique), il maintenait serré contre lui son paquet d'épreuves, essayant de rattraper son humeur tranquille comme si elle était faite de molécules qui se dispersaient dans la brise et qui le désagrégeaient totalement, respirant posément (Le danger, monsieur Rubinstein, est d'hyperventiler, vous vous mettez à respirer trop fort et trop vite et hop, voilà, vous sombrez dans l'angoisse) et se rassérénant peu à peu.

Lancelot retrouva son calme et, au moment où il reprenait son chemin, la porte cochère s'ouvrit derrière lui et la désagréable créature du deuxième étage déboula sur le trottoir, s'habillant encore à la hâte, cherchant des yeux quelqu'un, et le voyant lui Lancelot, tout ballant sur le bitume. Elle se dirigea vers lui d'un pas de guerrière qui le fit soupirer silencieusement. Il se dit, Oh non, sans le prononcer mais avec un air de si grande désolation que la femme du deuxième exécuta un imperceptible arrêt en scrutant son visage. Quand elle se fut assez rapprochée, elle amorça :

Je tenais à m'excuser…

Oh ce n'est rien, coupa Lancelot par une sorte d'habitude de civilité.

Non ce n'est pas rien.

Et elle le regarda et il la vit pour la première fois et ce qu'il vit le fit gémir silencieusement, il se dit, Ç'aurait dû être une journée si paisible, et ce qu'il vit était une jeune femme avec des yeux spéciaux, une peau olivâtre et des cheveux noirs qui s'agitaient comme s'ils étaient vivants, l'arc de ses sourcils émut tant Lancelot qu'il faillit pleurer, il se dit, C'est un trésor, puis il jeta un œil à ses pieds pour vérifier qu'elle ne portait pas en plus du reste l'une de ces paires de chaussures parfaites, et elle portait une paire de chaussures parfaites (rouge foncé avec une minuscule boucle dorée sur le côté et des talons fins et gris) et il faillit gémir, elle avait enfilé un imperméable beige (la mère de Lancelot disait toujours, Un imper mastic), et il n'y avait rien d'autre chez cette fille (elle n'était plus tout à coup une femme) que son visage et ses chaussures idéales et cela suffit à rendre Lancelot amoureux, et Lancelot se désespéra muettement, il fut pris d'une grande lassitude, il leva les yeux pour retrouver son calme et il vit les arbres de l'avenue et leurs frondaisons bruissantes, il soupira et il l'entendit dire :

Je peux vous accompagner deux minutes ?

Alors sans rien ajouter il reprit son chemin et elle lui emboîta le pas, c'est ce que Lancelot se dit, Elle m'emboîte le pas, cette expression lui plut et il trouva ça dingue de marcher aux côtés de cette fille et de ses chaussures parfaites, et il se dit, Tout le monde nous voit, ce qui signifiait certainement, Tout le monde m'envie, et quand il sentit cette bouffée de misérable orgueil le prendre, il s'enjoignit de retrouver la sérénité, il se dit, Lancelot Lancelot Lancelot ne va pas te faire des idées, et ils avancèrent ainsi de conserve, lui se mettant à freiner son pas pour qu'il atteignît la même mesure que celle du pas de cette fille.

4

Mais Elisabeth revint. Elle débarqua dans l'appartement avec son sac à dos, son tapis de sol roulé, ses chaussures de montagne, son nez rose, et Lancelot se leva de son bureau pour l'accueillir. À moins que ce ne fût pour l'observer tourbillonner comme il l'eût fait devant une espèce rare de coléoptère.

Dès qu'elle mit un pied dans l'appartement elle commença à parler – bien que Lancelot soupçonnât qu'elle ne s'arrêtait jamais et qu'il ne faisait que saisir des bribes d'un discours continu quand il passait près d'elle. Il pencha la tête et se dit, Ce n'est plus possible. Cette pensée était motivée bien entendu par sa récente rencontre avec Irina (il y avait de cela trois jours), rencontre qui l'avait tant bouleversé qu'il était maintenant hors de question de reprendre sa vie là où il l'avait laissée. Il se surprit à lui dire tout de go :

L'armoire a disparu (remarque accompagnée d'un haussement de sourcils et d'épaules signifiant à la fois, ce n'est pas important, je suis innocent et je m'en fous).

Elle ne lui répondit pas, elle resta plantée là avec tout son attirail à ses pieds, elle avait les bras longs, beaucoup plus longs que la moyenne, ce qui avait pu, en des temps révolus, conférer à ses gestes une sorte de grâce étrange de danseuse indienne mais qui lui donnait à présent, en cet instant précis, parce qu'elle se tenait légèrement bossue, ayant déchargé à terre tout son barda, l'attitude d'une guenon mélancolique.

Elle a triangulé Bermudes, insista Lancelot en souriant. Il avait trouvé cette expression dans un livre, elle l'avait amusé, il la reprenait à son compte, mais apparemment, au regard que sa femme lui lança, elle ne produisit pas l'effet escompté – d'ailleurs il ne prétendait pas à un éclat de rire, il aurait simplement apprécié un hochement de tête entendu, mais pour toute complicité elle ne fit que le regarder avec des yeux ronds.

Toute cette scène contribua à le conforter dans l'idée qu'il lui fallait déguerpir de là au plus vite.

Il se dit, Mon Irina, ma princesse, mon trésor tout neuf m'attend de l'autre côté de la ville. Je brûle de la rejoindre (et en effet il ressentait une douleur aiguë à chacune des extrémités de son corps comme s'il était en train de se faire piquer par des dizaines d'oursins).

Les amours parallèles rendent injuste. Lancelot cherchait simplement des signes pour affermir sa décision et quelle que fût l'attitude de sa femme Elisabeth cette décision existait sans elle – et même chacune de ses paroles, chacune de ses postures l'éloignait d'elle et le déterminait un peu plus.

De quoi parles-tu ? fit-elle.

Puis elle recommença son monologue tout en allant ranger ses affaires dans la chambre, passant par la cuisine pour boire un jus de fruits, Lancelot la suivant, observant chacun de ses gestes comme pour les graver dans sa mémoire, se souvenir toujours de sa façon d'ouvrir le frigo et de le fermer avec une pichenette du coude, de son application à tout laisser très propre, Elisabeth lava son verre aussitôt qu'utilisé et continua inlassablement à raconter son périple avec ses élèves, se préoccupant en définitive assez peu que Lancelot écoutât ou pas, tournant sur elle-même et babillant sans que Lancelot réussît à capter de bout en bout une seule phrase qu'elle prononçait.

Et c'est quand elle fut dans la chambre en train de déballer ses affaires sur le lit (la vue de leur lit commun ne créait tout à coup plus que des haut-le-cœur chez Lancelot et l'idée de passer encore une nuit avec elle à sa gauche ne lui paraissait pas envisageable) qu'il lui dit :

Je vais partir, Irina.

Et ce qu'il voulait dire devint grotesque à cause de la confusion des prénoms. Tandis qu'Elisabeth levait la tête et faisait :

Je ne m'appelle pas Irina.

Lancelot tenta par tous les moyens de remonter le cours du temps pour détruire cette seconde d'inattention, pouvoir retrouver un semblant de dignité et ne pas donner le nom de sa nouvelle élue à la femme qu'il quittait. Il bafouilla, elle hésita. Elle aurait pu lui sauver la mise en acceptant de croire qu'il s'était mélangé les crayons avec le prénom d'un personnage du roman qu'il lisait ou corrigeait mais elle ne le fit pas – pourquoi l'aurait-elle fait ? – et elle répliqua juste :

De toute façon tu n'as presque rien à prendre ici.

Elle eut un geste global qui interdisait à Lancelot de prétendre à la table Noguchi et à la bibliothèque Charlotte Perriand.

Considérons tout cela comme des prises de guerre, décréta-t-elle.

Elle le regarda bien en face et il retrouva l'émotion qu'il avait eue jadis à côtoyer cette femme aux bras longs et blancs, il ne put rien ajouter, il émit, Très bien très bien, comme si c'était elle qui lui imposait une décision, il fit volte-face et traversa le couloir, il alla jusqu'au salon pour prendre son nouveau paquet d'épreuves pas encore corrigées (à cause de toutes ces perturbations évidemment), il s'aperçut que la comtoise avait elle aussi disparu et il eut l'impression que plus il s'éloignait vers la porte de l'appartement plus les objets qu'il avait connus s'estompaient sous ses yeux, c'était comme s'il lui fallait maintenant courir pour ne pas disparaître avec eux, il pressa le pas, la commode devenait floue et clignotait sur sa droite, le porte-parapluies n'avait laissé aucune trace, Lancelot se mit à courir pour atteindre la porte, il l'ouvrit et la referma derrière lui en essayant de ne pas la claquer avec trop de brusquerie, parce qu'il n'y avait aucune raison de la claquer, Elisabeth n'était pas en colère et n'essayait pas de le retenir par le pan de sa chemise blanche. Il s'immobilisa là avec la certitude que tout avait été englouti de l'autre côté du battant. Il écouta, n'entendit rien d'abord, puis soupçonna quelque chose comme des gémissements ou les pleurs d'un petit animal – cela lui évoquait les faibles cris d'une souris piégée. Il recula et resta quelques secondes face à cette porte en bois et sa double serrure. Elle lui paraissait si familière. Et c'était comme de quitter Ithaque avec la certitude de n'y retourner jamais. Lancelot soupira, se dit, Je ne sais pas quitter les femmes, comme s'il avait eu coutume de tirer sa révérence alors qu'il ne faisait que regretter ses propres timidité et maladresse, son expérience en matière de rupture étant d'une indigence affligeante.

Lancelot descendit les escaliers et atterrit dans la cour où le camphrier persistait à accueillir tous les chats opossums du quartier, il ne prit pas le temps de s'arrêter sous l'arbre, il passa le porche et sortit dans la rue en se sentant léger et libre – il ne lui restait plus que son paquet d'épreuves, ses espadrilles et sa chemise blanche raccommodée au coude (par Elisabeth).

Il prit le chemin de chez Irina.

5

Tout le long du chemin qui le menait chez Irina, Lancelot pensa à sa femme. Il ne faut jamais comparer son épouse à sa maîtresse. L'épouse gagne à chaque fois. Sa mère lui avait toujours répété (et elle en savait quelque chose, elle qui avait, durant toute l'enfance de Lancelot, quitté et été quittée plus qu'à son tour) qu'un homme prend une maîtresse pour rester avec sa femme tandis qu'une femme prend un amant pour quitter son mari (pendant quatre ans elle avait attendu que son amant marié et père de famille se carapatât de chez lui, et il avait fini par aller s'installer à Majorque avec ses deux fils et sa femme enceinte).

Et Lancelot se disait, Est-ce ma part féminine ?

Il marchait et ses pas faisaient, selon un rythme personnel, Aujourd'hui j'ai quitté ma femme.

Il traversait les avenues et ses pas faisaient toujours, Aujourd'hui j'ai quitté ma femme.

Et il se souvint brutalement de leur première rencontre. Ce souvenir lui fut asséné comme un coup sur la tête. Il n'y avait pas resongé depuis des années alors qu'au début de leur histoire il avait pour habitude de raviver sa flamme en se repassant le film mental de leur rencontre.

Il était tombé amoureux de la nuque et des longs bras blancs d'Elisabeth. Il les observait à la bibliothèque de l'université. Il lui semblait voir quelqu'un bouger sous l'eau. Elisabeth avait les gestes lents et harmonieux de qui se déplace dans une matière différente, par sa consistance et sa densité, de celle dans laquelle se meut le commun des mortels. Elisabeth l'impressionnait beaucoup jusqu'au jour où il lui avait parlé à la sortie de la bibliothèque et où elle s'était révélée volubile et chaleureuse. Il lui avait adressé la parole sur les marches en lui posant une question stupide et ampoulée (il était en histoire de l'art) à propos de ce qui était beau et de ce qui ne l'était pas. Elle s'était arrêtée et lui avait répondu qu'elle n'avait pas de réponse à ça, qu'elle-même adhérait sans rien y comprendre à l'idée qu'une merde d'artiste en boîte était plus de l'art qu'une peinture de paysage avec un moulin recouvert de glycines et deux faunes qui batifolent en arrière-plan dans la prairie.

Ils étaient jeunes et inexpérimentés.

Lancelot l'avait regardée et pendant longtemps il se souviendrait de sa robe en broderie anglaise blanche à collerette (c'était du second degré), de ses boucles d'oreilles en faux rubis étincelant et de ses yeux clairs et calmes. Il avait décidé à cet instant qu'il se marierait avec elle et qu'elle serait la mère de ses enfants.

Dix-neuf ans après, Lancelot la quittait. Il la laissait dans un appartement qui disparaissait, en se trompant de prénom au moment de sa sortie.

Lancelot grimaça et se mit à marcher précautionneusement comme s'il avait la plante des pieds brûlée. Il se sentit triste. Il y avait dans sa tête, semble-t-il, une petite voix qui se réjouissait de lui envoyer des pensées nostalgiques alors qu'il décidait de changer de vie, qui lui soufflait qu'il était encore temps de faire demi-tour et amende honorable, qu'il pouvait toujours reprendre le cours tranquille et modérément poissonneux de son existence.

Lancelot aperçut des enfants qui jouaient à la guerre sur le trottoir à côté du terrain vague où l'on avait démoli des immeubles en brique pour bientôt construire une maison de retraite, les gamins étaient trois, il y en avait un qui portait une arme en plastique ressemblant tant à une vraie que c'était juste l'aisance avec laquelle il la brandissait qui indiquait que c'était un jouet, il y en avait deux qui lui couraient après et lui criaient, On va te violer et t'égorger, alors Lancelot s'arrêta, il les regarda sauter par-dessus la barrière et son écriteau INTERDIT AU PUBLIC, puis les observa qui lâchaient leurs armes et s'attelaient à parodier des postures de karaté en émettant des sons qui leur semblaient appropriés (les bruits que produisent les garçons quand ils imitent le sifflement de la vitesse). Il se posta à côté de la palissade et se dit, Je suis bien content de ne pas avoir d'enfant, même si ce n'était pas vrai en général mais plutôt maintenant, alors qu'il quittait Elisabeth et qu'avoir des enfants avec elle aurait sensiblement compliqué les choses. Lancelot se remit en marche, il faillit bousculer une femme qui arborait des lunettes surdimensionnées évoquant un masque de plongée sous-marine, il s'attendait presque à la voir armée d'un harpon, après cela il croisa une jeune femme avec une petite fille, la petite fille tenait la main de la jeune femme qui portait une robe très courte et des talons très hauts, elle levait son minuscule visage vers la jeune femme qui était vraisemblablement sa mère et elle lui racontait, Et puis dans mon rêve, le méchant me prendait ma clé, mais moi je la mettais dans quelque chose de puissant, de merveilleux et de plein de bijoux, Lancelot s'éloigna et il entendit la petite dire, Tu m'écoutes ? et même à présent qu'il était vraiment loin de cette femme et de sa petite fille, il continua d'entendre celle-ci répéter, Tu m'écoutes, tu m'écoutes, tu m'écoutes ? Et Lancelot se dit qu'elle inventait peut-être des rêves pour que sa mère l'écoute.

Il finit par se retrouver en bas de chez Irina devant la fleuriste et ses bouquets tout prêts. Il leva la tête vers la fenêtre de son aimée, elle était fermée, il se dit, Elle n'est peut-être pas là. La petite voix lui souffla, Elle est peut-être définitivement partie, elle a fait ses valises et se tient dans le bistrot d'en face à rire sous cape en buvant un alcool blanc et fort et en se gaussant de ta naïveté. Lancelot réussit à ne pas se retourner pour vérifier s'il y avait effectivement un bistrot et si Irina y était embusquée. Il prit sa respiration et poussa le lourd vantail qui donnait sur la rue, il monta l'escalier assassin et frappa à la porte d'Irina. Il entendit son pas claquer sur le parquet. Il soupira avec gratitude, Merci merci merci. Irina ouvrit la porte en grand et se tint sur le seuil, totalement immobile, afin, peut-on imaginer, de permettre à Lancelot de l'observer à loisir. Elle portait quatre éléments vestimentaires qui firent bondir le cœur et la queue de Lancelot. Un corset en vinyle noir qui luisait dans la pénombre, des gants en satin noir qui l'habillaient jusqu'au coude, un minishort brillant et des talons de douze centimètres (les chaussures étaient violettes, semble-t-il, mais il y avait trop peu d'éclairage pour en être certain). Lancelot avala sa salive et se dit, Si je n'étais pas arrivé elle serait donc restée à m'attendre dans cette tenue ? Et le fait qu'elle eût accepté la possible humiliation de sa déconvenue (faire les cent pas en vinyle noir dans son appartement vide ou se vautrer au fond du canapé vêtue de son équipement inutile avec le petit crissement qu'aurait produit chacun de ses gestes et qui lui aurait rappelé à chaque fois son dépit), le risque donc de l'humiliation la rendait magnifique et émouvante. Lancelot lui sourit et à ce moment-là une nouvelle voix qui n'allait plus le lâcher pendant des années surgit dans son cerveau et lui susurra, Mais voyons Lancelot demande-toi plutôt qui lui a offert tout cet attirail, ou pire, très cher, parce qu'il y a pire, pour plaire à qui, avant toi, s'est-elle acheté un si fol appareil ?

6

Lancelot avait entendu le téléphone sonner.

Il ouvrit un œil. Il n'était pas chez lui, dans la chambre qu'il partageait avec Elisabeth. Il ressentit un léger vertige à ne pas dans l'instant se souvenir de ce lit. Il s'assit en regardant autour de lui.

Qu'est-ce que je fous là ?

Funérailles, jura Irina dans le couloir.

La mémoire lui revint. Il retomba sur l'oreiller.

Il fixa le plafond, les moulures et les tuyauteries qui serpentaient le long des murs. La chambre avait quelque chose de décrépit et de douillet qui fit naître en lui une langueur inappropriée. Sur le bureau à gauche de la fenêtre fanait un bouquet d'iris prêts à se déchirer. Un miroir trônait juste au-dessus serti dans un décor de plâtre tout tarabiscoté de guirlandes de volubilis – quel genre de concupiscence a-t-il bien pu déjà refléter ? s'interrogea Lancelot. Une bibliothèque bric et broc, défiant la gravité. Des habits en vrac comme des monticules de couleur. Une commode de grand-mère, replète et courte sur pattes.

La rouquine a fait ses petits derrière la commode, chantonnait toujours la mère de Lancelot.

C'était quoi cette chanson. Un truc méchant. Un truc raciste. Sa mère s'en serait défendue, Mais non mais non, on parle d'une chatte rousse qui fait ses chatons…

Qu'est-ce que je fous là ?

Des piles de livres et des paires de chaussures, toutes avec des talons si hauts qu'elles existaient sans les pieds qui les chaussaient – les mocassins plats ont toujours un air abandonné, incomplet et pitoyable, les chaussures à talons aiguilles vivent leur vie de conte de fées sans le soutien de qui que ce soit, elles peuvent gésir à terre, sur un lino douteux, elles conservent une grâce miraculeuse et une splendeur distante.

Lancelot aimait tant les femmes à talons hauts.

Ah oui bien sûr.

La rouquine a fait ses petits derrière la commode.

Les chaussures à talons.

Une lumière de fin d'après-midi derrière les rideaux clos embrumait la pièce.

J'ai dormi en plein après-midi ?

Il entendit Irina chuchoter dans le couloir (pour ne pas te réveiller, crois-tu donc ?), il l'entendit étouffer des exclamations, utiliser encore une fois son bizarre juron puis se remettre à murmurer.

Elle raccrocha.

La rouquine a fait ses petits derrière la commode.

Les pas se rapprochaient, elle poussa la porte de la chambre avec son épaule, elle apparut – et là Lancelot ne fut plus en mesure de se demander ce qu'il faisait là ; cela redevint limpide. Elle sourit, Tu es réveillé ? et déposa un plateau sur le bureau. Elle y avait placé une théière, une tasse, un verre et une bouteille de gin bon marché.

Lancelot pensa, Oh oh, ma bien-aimée boirait-elle ?

Elle versa une tasse de thé qu'elle lui tendit, il la prit, la porta à ses lèvres, se brûla la langue et le palais, mais continua à s'ébouillanter pour se donner une contenance.

Elle but son gin en le regardant, assise sur le bord du lit, enveloppée dans un peignoir blanc en nid-d'abeilles (encore une réminiscence de sa mère qui connaissait les tissus par leur petit nom) avec un écusson doré sur la poitrine.

Tu l'as volé dans un hôtel ? demanda Lancelot en désignant le peignoir.

Irina sourit, elle ne répondit pas et se tourna vers la fenêtre. Un silence nonchalant s'installa entre eux. Quelque chose de tranquille qui fit, malgré tout, naître une subtile inquiétude chez Lancelot. Qui le poussa à se brûler avec application. À fixer le visage d'Irina. Puis à détourner les yeux pour ne pas déjà encombrer cette femme de toute son attente.

Il essaya de retarder le moment où il lui dirait qu'il n'avait aucunement l'intention de retourner chez son épouse, qu'il n'y avait aucune affaire là-bas à laquelle il tenait (ni les livres qu'il avait déjà lus ni les pantalons beiges et les polos idoines qu'il avait eu l'habitude de porter dans son ancienne vie), qu'il pouvait venir vivre dans la minute avec elle et faire table rase des dix-neuf années passées avec sa femme. Il se doutait que la proposition de son enracinement immédiat dans la vie d'Irina n'allait peut-être pas la ravir.

Il tenta de se souvenir s'il avait lu ou vu ou entendu raconter une situation de ce genre et s'il existait donc un moyen de pirouetter et de lui annoncer qu'elle était la femme de sa vie, là de but en blanc, avec humour et légèreté. Il ne trouva rien. C'était comme si ses neurones peinaient dans la gélatine. Et que la seule chose qu'ils demandaient était de s'abreuver à la contemplation du visage d'Irina.

Lancelot soupira et voulut déclarer, sans l'aide de ses neurones ni de ses lectures, qu'il avait l'impression qu'il se passait quelque chose de spécial entre eux deux. Un truc pas commun. Heureusement elle ne lui en laissa pas le temps.

Dans deux jours, annonça-t-elle, je pars pour la Slovénie.

Elle fit une pause en rattachant ses cheveux.

Je vais filmer des ours.

Un trou s'ouvrit sous Lancelot, il y avait un gouffre sous ce lit, il était aspiré dans un abîme où il pourrait autant qu'il voulait hurler et se débattre, il se retint aux draps, se crispa, il sourit mais ça ne ressemblait à rien, il répéta, Filmer des ours ? et elle hocha la tête et dit très doucement :

Oui, tu te souviens, c'est mon métier.

Ton métier c'est de filmer des ours ? (Il entendit sa propre voix aiguë et discordante.)

Non c'est de filmer des animaux en général.

Ah ah.

Le chef op m'a appelée parce que le réalisateur précédent a connu quelques déboires…

Quel genre de déboires ? émit Lancelot (et en lui-même ça donnait : Mais c'est quoi un chef op ?).

L'ours lui est tombé dessus une nuit et le type s'est fait bouffer.

Bouffer-bouffer ?

Bouffer-bouffer.

Pour de vrai ?

L'ours a mangé ce qu'il pouvait manger et il a enterré le reste. Pour plus tard, précisa-t-elle.

Et tu pars remplacer ce type ?

En fait (geste de la main droite qui écarta les pans de son peignoir volé, laissant apparaître un détail de son corset en vinyle, irruption maintenant tout à fait incongrue), je pense qu'il n'a pas été très prudent… Je l'avais déjà croisé… (Et là, Lancelot, roi de la pensée déplacée, se demanda, Est-ce qu'elle a déjà couché avec lui ?) Ce type était du genre à ne suivre aucune des règles élémentaires de prudence…

Lancelot eut le désagréable sentiment qu'elle récitait quelque chose, il fronça les sourcils, se sentit nauséeux.

Paul ? fit-elle.

Lancelot eut un sursaut.

Je n'ai pas un bon pressentiment, gémit-il.

Moi si.

Je parlais des ours.

Moi aussi.

Tu y resteras longtemps ?

Pas tant que ça. Quelques semaines.

Quelques ? (Il s'en voulait d'insister mais il lui était impossible de s'y prendre autrement.)

Trois. Je pense.

Je vais t'attendre, dit-il. Et il opina de la tête comme si c'était lui qui lui accordait du temps et comme s'il maîtrisait parfaitement la situation et la gigue de son cœur, il l'attira vers lui en lui prenant la main,

Je vais t'attendre…

il pensa, Mon trésor ma mie ma lumière,

Tu reviendras saine et sauve…

il la prit dans ses bras,

Je vais t'attendre… répéta-t-il,

et, au moment où il se mit à la serrer dans ses bras le plus délicatement possible, à lui caresser les cheveux et le visage, devinant ses os de mésange, à ce moment-là, Lancelot se sentit capable d'oublier le peignoir volé, le vinyle qui crissait et les ours mangeurs d'hommes.

7

Quand il avait marché auprès d'Irina la première fois, le jour où elle portait son affreux imper mastic, ses cheveux se détachant de son chignon en mèches folles (qui avaient quelque chose d'aquatique, c'étaient comme des algues noires qui se balançaient mollement), sa silhouette minuscule auprès de lui malgré le vertige de ses talons gris, les cernes sous ses yeux de mosaïque byzantine formant de grands arcs bleus, toute sa personne luisant d'une manière si spéciale – c'était ce que Lancelot s'était dit, il ne pouvait exprimer la chose autrement –, quand il avait marché auprès d'Irina la première fois, il s'était senti si chaviré qu'il avait pu enfin entrevoir sa vie sous de justes proportions.

Quand elle l'avait ramené dans son appartement après avoir pris dehors un premier café, quand elle lui avait annoncé en ouvrant la porte qu'elle avait définitivement rompu avec l'ignoble type qui passait son temps chez elle à inviter des filles et à siroter son gin, qu'il y avait longtemps que ça couvait, que d'ailleurs ça faisait un bon moment qu'il n'y avait plus rien entre eux, que cette histoire de chaussure balancée par la fenêtre avait été la goutte d'eau qu'il lui fallait, qu'il ne remettrait plus jamais les pieds chez elle, que du reste elle appelait de ce pas le serrurier pour qu'il change toutes les serrures – elle lui avait repris les clés mais, disait-elle, il était peut-être assez tordu pour avoir fait des doubles et continuer à se servir de l'appartement d'Irina comme d'une garçonnière –, quand elle avait offert à Lancelot de prendre encore un café avec elle, quand elle lui avait dit qu'elle appréciait sa compagnie en un jour si sombre, quand elle avait décrété que vraiment Lancelot était un prénom impossible et qu'il lui faudrait porter quelque chose de plus modeste, comme Paul par exemple, Paul, c'est bien ça, c'est court, c'est efficace, si on le crie dans la rue, tu te retournes, c'est parfait en cas d'urgence un nom comme celui-là, quand elle avait retiré son imper mastic, quand il s'était demandé, Mais quel âge a-t-elle ? quand il avait regardé autour de lui et qu'il avait vu un bric-à-brac de photos au mur (des girafes, des enfants, des villages de Bosnie, des incendies, des bords de mer, des méduses phosphorescentes), quand il avait regardé autour de lui pour ne pas trop la regarder, quand il était resté debout pendant qu'elle lui préparait un espresso et quand il s'était planté devant les murs les mains derrière le dos comme s'il était au musée, quand elle s'était postée près de lui, qu'elle avait touché son bras, puis sa main, quand elle avait mis son poing dans la paume de Lancelot, l'avait embrassé et mené jusqu'à sa chambre, quand elle avait tiré les rideaux et quand il l'avait allongée et déshabillée (et qu'il avait pensé, Mais, Lancelot, n'es-tu pas un homme pusillanime ?), quand il l'avait baisée et qu'elle lui avait dit, Tu me fais mal, Paul, et qu'il s'était excusé (pensant, Je ne te reconnais pas, Lancelot, qu'as-tu donc fait de ta pusillanimité ?), quand il avait posé la tête sur la poitrine de sa belle, sombrant un instant dans une grande confusion, se demandant ce qu'il faisait là, alors qu'il était homme à ne plus se souvenir du désir, alors qu'il était homme à se passer de sexualité pendant des années (comme c'était le cas avec Elisabeth), se disant, Je suis hors de moi, s'inquiétant déjà puis refusant de s'inquiéter, puis mélangeant tout, se demandant, Que s'est-il passé pour que j'en arrive là, dans ce lit, avec cette jolie fille ? et la question qui suivait et qui était tout aussi angoissante, Mais que peut-elle trouver à un type comme moi ? et une autre encore, Est-ce vraiment normal de passer d'un fâcheux à l'autre en quelques heures à peine, qu'augure une telle précipitation ? et aussi, Ai-je affaire à une nymphomane ? Lancelot lui embrassant la peau qu'elle avait fine et sans parfum, Lancelot, reconnaissant et ému, se disant, Je ne vais pas pleurer tout de même, quand il eut donc effectué tout ce trajet, qu'il l'eut enlacée enfin et lui eut embrassé les paupières, Lancelot avait su qu'il n'y aurait pas d'autre solution que de rester auprès d'elle pour se sentir encore vivant.

8

Irina partit filmer ses ours. Et Lancelot s'installa dans son appartement.

Elle l'appelait depuis une cabine quand elle allait se ravitailler au village. Elle lui disait des mots tendres et lui racontait ce qu'elle filmait, ses rencontres avec les ours, son attente et ses nuits sous la canadienne.

Lancelot pouvait rester des heures assis à côté du téléphone, la tête posée sur un coussin pour s'assoupir quand bon lui semblait, le coussin à plat sur la table, et lui assis face à la table, les bras tombant jusqu'à terre quand il s'endormait, se réveillant quand la sonnerie se mettait à carillonner dans ses oreilles, ne décrochant qu'aux premiers mots d'Irina sur le répondeur, le cœur battant, et à la fin de la conversation, frustré, il ne pouvait que lui dire combien il avait été heureux de l'entendre, leur conversation ne répondant pas à son attente, c'était juste la voix d'Irina retranscrite en impulsions électriques qui lui donnait de ses nouvelles, lui parlant des deux types qui bossaient avec elle, lui détaillant les incidents techniques, alors que Lancelot désirait de grandes envolées et des promesses d'amour toujours et même si elle était caressante au téléphone l'incertitude s'insinuait dans l'esprit de Lancelot, il se disait, Est-elle vraiment en Slovénie (oui elle y était, ou bien alors c'est qu'elle affectionnait les scénarios complexes vu qu'il avait reçu deux cartes postées à Ljubljana signées de sa main), il se disait, Avec qui est-elle partie en fait ? il se disait, Elle croit qu'elle tient à moi parce qu'elle est perdue en pleine montagne mais quand elle rentrera elle se rendra compte qu'il n'en est rien, il se disait, Elle me rassure au téléphone parce que c'est une gentille fille.

Entre ses pensées délétères, Lancelot piquait un somme, la tête sur la table d'Irina.

Au bout de quelques jours de ce régime, il se reprit, descendit l'après-midi s'asseoir sur le banc dans la cour aux hortensias pour y lire des romans policiers, se prépara des pâtes à la sauce piquante, écouta Bach sur la chaîne d'Irina, ouvrit les volets et arrosa les plantes. Il entretint l'appartement comme un parfait intendant. Il lui concocta un joli petit monde cosmétique pour quand elle rentrerait. Il s'astreignit à ne pas décacheter son courrier ni à l'ausculter par transparence dans la lumière, titillé qu'il était parfois par son démon domestique, il rangea les lettres par catégories, il laissa les fenêtres ouvertes toute la journée et répondit avec beaucoup plus de sérénité à chaque coup de fil d'Irina, parvenant même à être surpris de leur régularité, lui parlant posément et s'intéressant avec le plus de sincérité possible à sa vie avec les ours.

Il réussissait à ne pas s'inquiéter si elle ne donnait pas de ses nouvelles pendant plusieurs jours. Au début il l'imaginait déchiquetée sous les pattes d'un grizzly furibond, à présent il gardait son calme en se disant, De toute façon dès qu'elle le pourra elle m'appellera, s'il lui était arrivé quelque chose j'aurais été prévenu (il lui avait fait promettre de porter sur elle une carte indiquant qu'il fallait le joindre en cas de malheur).

C'était une étrange situation de n'avoir passé que quelques journées avec cette femme, d'avoir fait basculer la vie qu'il menait jusque-là et d'être maintenant là à l'attendre. Il aimait quand la concierge venait lui déposer le courrier, il lui ouvrait et lui souriait avec reconnaissance comme si son intervention légitimait la présence de Lancelot dans cet appartement. Il finit par lui offrir un café, elle s'assit dans la cuisine bazar d'Irina, en soufflant suant. Elle annonça qu'elle s'appelait Vladimir, qu'elle était transsexuelle, que ses seins poussaient et que c'était l'expérience la plus folle et la plus décevante de sa vie.

Décevante ? dit Lancelot.

Et Vladimir devant son café cognac expliqua qu'elle se sentait toujours aussi seule, qu'elle savait bien que toutes les hormones qu'elle prenait allaient finir par lui filer le cancer et que ses enfants ne voulaient toujours pas la voir.

Lancelot ne sut que répondre.

Il prit la main toute molle de Vladimir dans la sienne et la tapota, il lui offrit un nouveau cognac et lui dit qu'il venait de quitter sa femme, qu'il n'avait pas d'enfant, quasiment rien sur son compte en banque et qu'il avait peur que la femme qu'il aimait ne se fasse bouffer par un ours.

Vladimir s'empara de la tête de Lancelot, l'appliqua sur sa poitrine toute neuve en la maintenant avec ses deux grosses paluches et se mit à sangloter. Lancelot resta là penché en avant avec la main de Vladimir sur la nuque, à épier les battements du cœur de Vladimir entre les soubresauts de son chagrin. Il tenta une fois de se relever mais la poigne de Vladimir ne lâchait pas prise, Lancelot s'abandonna alors au désespoir de Vladimir assis dans la cuisine d'Irina sur une chaise en formica bleu ciel. Il eut l'impression que Vladimir pleurait sur eux deux, sur leur Grand Malheur. Et cette pensée réconforta Lancelot.

Vladimir réapparut régulièrement pour ce genre de séance.

Après ses visites, Lancelot s'asseyait dans le fauteuil près de la fenêtre ouverte, il écoutait le bruit de l'avenue ou bien descendait se poster sur le banc aux hortensias et faisait ce pour quoi il était somme toute le plus doué, il attendait Irina.

Irina revint.

Lancelot appela un avocat et entama une procédure de divorce. Il ne revit Elisabeth que le jour du jugement. Il ne chercha à ce moment-là ni à lui parler ni à s'expliquer plus avant. Elle fit un paquet avec les documents administratifs qui le concernaient personnellement, elle l'envoya à l'adresse de son employeur et ne reprit pas contact avec lui.

Lancelot pensait à elle souvent.

Juste avant de déménager à Catano avec Irina, il se mit à passer chaque jour devant l'école où Elisabeth enseignait. On pouvait voir la cour de récréation depuis la rue, il restait adossé à un platane, il regardait les gamines en uniforme qui sautillaient sur le bitume de la cour, regardait son ex-femme grande et belle dans ses habits faits main arpenter la cour selon le rythme lent et régulier d'un platonicien, Lancelot penchait la tête, l'épaule contre l'écorce lisse et bicolore, il croisait les bras sur sa poitrine puis s'en retournait auprès d'Irina.

II

9

Il y a dans la rivière Omoko une voiture que ne connaît pas Lancelot.

Il fait nuit, une nuit noire et glacée qui transperce les sinus quand on la respire, mais la police a installé sur les rives des projecteurs ultrapuissants qui éclairent la rivière. Ça grouille de monde dans l'obscurité. Lancelot se dit, C'est bizarre tous ces gens pour une voiture tombée à l'eau. Il est sorti de la sienne, et il avance maintenant très lentement avec l'impression que son corps devient alternativement mou et raide, ce qui l'empêche d'avoir une démarche normale. On veut l'arrêter mais il dit, Je suis le mari de la victime, il ajoute, Je crois, pour lui-même, et il ne sait plus s'il croit être son mari ou s'il croit qu'elle est la victime. Des gyrophares clignotent autour de lui et tout se fait dans un silence étrange. Il aurait imaginé que dans ce type de situation un grand brouhaha régnerait, une intense agitation sonore, à moins que tout à coup, en marchant vers la rive, il ne soit devenu sourd.

Une neige consciencieuse tombe sur la scène. Elle est si fraîche qu'elle donne à Lancelot l'illusion d'écraser à chacun de ses pas de minuscules invertébrés qui auraient préféré se taire et être broyés plutôt que d'élever la voix vers lui.

Quelqu'un le tire par la manche et lui dit, L'inspecteur Schneider vous attend, et Lancelot voit l'ambulance et il pense, S'il y a une ambulance c'est qu'elle n'est pas morte, et Lancelot ajoute, Dieu soit loué, et il est lui-même surpris de mêler Dieu à cette affaire, il se rend compte que le recours au mystérieux devient inévitable dans ce genre de circonstances. Un grand type apparaît et le pilote vers l'inspecteur Schneider qui est de dos et qui semble être une femme si l'on en croit sa parka rose. Inspecteur, crie le type, et l'inspecteur Schneider se retourne, elle est occupée avec un acolyte, et Lancelot se dit, Mon Dieu elle est énorme, et il se demande, N'y a-t-il pas dans la police un entraînement physique incompatible avec l'obésité ?

Elle se dirige vers lui et lui serre la main, Vous êtes monsieur Rubinstein ? la main de cette femme est vigoureuse, et Lancelot remarque combien ses yeux sont mobiles et enfoncés dans les orbites, il pense, La graisse comprime tous ses organes, il aimerait en parler avec elle mais il devine que c'est juste son cerveau qui lui envoie des messages parasites pour qu'il ne se préoccupe pas de l'essentiel. Il dit, Où est ma femme ? et l'inspecteur Schneider fait un signe de sa main droite, Là-dedans. Lancelot regarde en direction de ce qu'elle indique, il voit l'ambulance qui démarre, Mais où l'emmène-t-on ? Je peux aller avec elle ? demande-t-il. L'inspecteur Schneider se tourne vers son acolyte qui répond, Milena, elle se tourne vers Lancelot comme s'il ne pouvait pas comprendre ce que l'acolyte a dit et répète, Milena, puis ajoute, Je pense que vous ne pouvez pas l'accompagner mais nous allons la suivre en voiture et vous signerez le certificat de décès.

C'est un peu trop brutal pour Lancelot, il tombe à genoux dans la neige.

La grosse femme pousse un cri de surprise, elle se penche vers lui et veut le relever, elle glapit, Mais personne ne lui avait dit ? elle semble à la fois confuse et irritée, Lancelot a décidé de disparaître sous la neige, il commence à s'enfoncer, prend de pleines brassées de neige et s'en recouvre, la grosse femme gueule, Est-ce que quelqu'un va venir m'aider ? Lancelot se fait un trou dans la neige et se débat quand on veut le toucher, ils font cercle autour de lui, Lancelot se fabrique sa tanière, il s'agite dans un silence éclairé de gyrophares, il veut s'effacer, il plonge profondément dans l'épaisse couche de neige, un type dit, comme s'il y connaissait quelque chose, Les chiens font ça des fois, personne ne lui répond, chacun semble s'abîmer dans ses réflexions avec cette économie de mouvement de qui a déjà dépassé son quota d'heures supplémentaires, puis l'inspecteur Schneider s'ébroue et crie, Dégagez-le et emmenez-le.

Ils dégagent Lancelot et l'emmènent.

Et pendant qu'ils l'évacuent, Lancelot, la tête bringuebalante, sent le monde se fendiller et se casser comme la coquille d'un œuf.

10

Lancelot se prépare un thé. Il fait couler l'eau dans la bouilloire en regardant loin devant lui par la fenêtre de la cuisine. On peut apercevoir la route en surplomb, les arbres transis qui scintillent dans la lumière du matin comme des bâtonnets de sucre candi, et sur la gauche un renard retardataire qui s'enfuit vers le bois en effectuant de grands sauts désordonnés dans la neige.

Lancelot se sent très légèrement à côté de lui-même. Il a l'impression qu'il est non seulement en train de remplir la bouilloire mais aussi qu'il est posté juste à côté de l'évier en train de se regarder faire. Il se regarde faire avec, il faut l'admettre, beaucoup de bienveillance. Il se sent patient et dupliqué.

C'est certainement le médicament que lui a fourni le docteur Epstein qui opère ce confortable dédoublement.

Il peut se servir de cette bouilloire sans penser que c'est Irina qui l'avait achetée, il peut se camper devant l'évier sans se souvenir instantanément qu'Irina avait bataillé pour conserver cet affreux évier en pierre si bas qu'il semble que les précédents occupants de la maison étaient des nains – quand vous faites la vaisselle et que vous possédez une taille correspondant à peu près aux normes en vigueur vous finissez avec le haut des cuisses totalement éclaboussé.

Lancelot, grâce au médicament du docteur Epstein, peut ne pas penser à Irina pendant une fraction de seconde. Le reste du temps c'est comme si son sang pulsait du souvenir enrobé de bris de verre.

Il pose les mains à plat dans le bac en pierre douce, se dit que s'il buvait, il aurait bien pris, même si tôt un matin, un alcool fort, un alcool de lampe, une vodka, un truc qui sent la vieille tante et les filigranes au crochet sur les accoudoirs en velours, Lancelot se dit, Il n'y a rien de mieux pour faire face à un deuil, et du coup, le voilà qui se reprend en pleine figure son Irina noyée. Et aussi, surtout, la conversation qu'il a eue au début de la semaine avec l'inspecteur Schneider, celle qui lui a fait un Très Grand Choc Supplémentaire.

Et c'est alors qu'il est debout face à la fenêtre au-dessus de l'évier à laisser déborder l'eau dans la bouilloire, et qu'il est également juste à côté à observer avec intérêt les trombes d'eau qui éclaboussent son pantalon, que Lancelot aperçoit une silhouette qui s'avance vers la maison. Il se penche en avant, essuie la buée sur le carreau et essaie de reconnaître la personne qui vient vers lui en traversant le pré enneigé. Un flic assurément. Les flics depuis la mort d'Irina n'arrêtent pas de venir l'interroger.

Il regarde le type avancer.

Il se dit, Il traîne la patte.

Il se dit, Il est malade ?

Il pense à ce qu'Irina lui disait avant qu'elle ne lui demande (ou plutôt qu'elle n'exige avec sa façon de mimer la dinguerie et le naufrage dans la mélancolie si d'aventure on s'apprêtait à ne pas satisfaire son caprice) s'ils pouvaient ensemble quitter Camerone. Elle arguait qu'elle ne supportait plus de voir autant de monde dans les rues, le métro ou le bus, elle ne pouvait s'empêcher d'imaginer leurs entrailles palpiter dans leurs corps, elle voyait toute cette viande rouge essoufflée et ces liquides colorés qui leur faisaient office de vie, c'était devenu insupportable de côtoyer des écorchés en permanence.

Lancelot chasse cette réminiscence.

Il se dirige vers la porte d'entrée pour accueillir l'homme.

Bonjour, fait celui-ci quand Lancelot lui ouvre. Il a apparemment un peu plus de soixante ans, il est sec et long comme le sont les gradés dans l'armée au cinéma, c'est un homme qui pourrait avoir l'air dangereux s'il ne paraissait pas si fatigué. Il a un visage d'une concavité d'affamé. Il porte une canadienne et de grosses chaussures montantes pleines de neige. J'ai laissé ma voiture là-haut, dit-il en faisant un signe vers la route, Lancelot sort la tête sur le seuil de sa maison pour suivre le geste de l'homme, il ne voit pas de voiture mais acquiesce tout de même, Je ne vous dérange pas, s'enquiert l'homme mais ça ne ressemble pas du tout à une question, il semble assez sûr qu'on ne peut pas déranger Lancelot au petit matin. Lancelot hausse les épaules et dit, Je préparais un thé. Alors l'homme répond, Parfait, sans même un sourire, il fait un pas dans la maison, il tend la main et dit (et il est déjà un pas dans cette foutue maison, et Lancelot regarde la chaussure recouverte de neige qui macule son paillasson, il sent qu'il perd le fil des événements), le type dit, Je suis le père d'Irina. Et Lancelot lui serre la main en plissant les yeux et en essayant de se souvenir de quoi cet homme est censé être mort, puisque Irina lui avait dit, il en est sûr, que son père était mort.

Lancelot retrouve quelque chose de très familier dans le visage de cet homme et il lui en est instantanément reconnaissant, ce type a les mêmes yeux qu'Irina et c'est un bonheur de les revoir mobiles et vivants. Il s'efface pour le laisser entrer et l'informe, Irina m'avait dit que vous étiez mort. Le type frappe ses godillots sur le paillasson qui est dans l'entrée, puis les retire et se retrouve en chaussettes, il répond, Ça ne m'étonne pas.

Lancelot le fait pénétrer dans le salon et bat en retraite vers la cuisine, il s'arrête devant l'évier, s'accroche au rebord en laissant son regard se perdre par la fenêtre, la tête lui tourne agréablement, le médicament du docteur Epstein lui accorde en plus d'un certain confort une sorte de vertige pâteux.

Il attend que la bouilloire se mette à siffler, n'ayant pas le courage d'aller affronter le vieux monsieur tout raide du salon sans avoir les mains prises par un litre d'eau brûlante.

Quand Lancelot le rejoint, il est contrarié de constater que l'homme s'est assis dans son fauteuil favori avec ses coussins en faux zèbre. Il pense lui demander de changer de place puis il se résigne à s'asseoir face à lui dans le canapé en velours où Irina aimait lire (il est d'ailleurs tout à fait aisé de retrouver la position qu'elle prenait pour bouquiner, le velours très légèrement usé correspondant à certains endroits stratégiques de son corps vivant, ses coudes, ses hanches et ses chevilles).

J'ai appris la nouvelle par le journal, annonce le père d'Irina.

Lancelot baisse les paupières en signe d'assentiment – il est en train de se brûler consciencieusement le palais avec son thé comme il aime à le faire.

Je n'en ai pas parlé à la mère d'Irina, continue l'homme, elle est un peu fragile. Alors je suis simplement parti en lui disant que j'allais à la truite dans le Nord (il rit de son ingéniosité).

Et elle n'a pas posé plus de questions que ça ? s'enquiert Lancelot, non qu'il se sente concerné par les cachotteries des parents d'Irina mais parce qu'il désire maintenir un semblant de conversation.

Elle ne parle plus depuis longtemps, répond posément l'homme. Elle a fait une attaque il y a déjà un moment.

Lancelot acquiesce en imaginant une vieille Irina muette dans un fauteuil à ramages, vissée devant la télé. Le désespoir point. Il se demande, Mais pourquoi donc Irina ne voulait-elle plus rien savoir de ces gens ? il secoue la tête, il aimerait avaler deux pilules miracles mais il a du mal à s'y résoudre devant le père d'Irina. Il s'interroge, Ai-je le courage de me lever, de chercher un prétexte et de m'éclipser dans la cuisine ? il soupire, non, il n'en a pas la force présentement.

L'homme attend un peu que son thé refroidisse, il regarde autour de lui comme s'il comptait acheter la maison.

Ça fait longtemps que vous êtes là ? demande-t-il. Et Lancelot lui sait gré de ne pas mettre toutes ses phrases au passé.

Presque deux ans.

Et avant ?

On était à Camerone.

Ah (l'homme fait un test avec son thé, recule vivement la tasse de ses lèvres et continue), la dernière fois que j'ai vu Irina elle vivait avec un infirmier à Camerone, il était colleur d'affiches et militant du Cric...

Le Cric ?

Un mouvement antivivisection ultraradical. Je ne sais même pas si les lettres de ce sigle signifient quelque chose (il a l'air d'y réfléchir puis abandonne le sujet en faisant une moue un peu dédaigneuse).

Je ne suis pas au courant, dit Lancelot.

Ooooh... Elle était très jeune à l'époque. Quasiment une gamine.

Ah. Et vous ne l'avez pas revue depuis tout ce temps ?

Je voulais vous rencontrer (et c'est comme une déclaration d'amitié, elle est accompagnée d'un sourire, le seul que peut produire le visage de cet homme, quelque chose d'un peu grimaçant et triste, qui lui découvre les gencives, ce qui évoque à Lancelot le faciès des chimpanzés pelés qu'il allait, gamin, voir au zoo alors qu'il ignorait encore s'ils exhibaient leurs dents pour déclarer leur hostilité ou s'ils avaient des intentions amicales).

C'est étrange qu'Irina m'ait dit que vous étiez mort... Vous étiez brouillés ?

Le vieil homme soupire, regarde dehors et constate :

C'est fou ce qu'il peut neiger dans votre coin. Par chez moi on peut avoir des hivers sans un gramme de neige.

Lancelot se dit, D'accord, d'accord, tu ne réponds pas à mes questions... mais que viens-tu donc chercher par ici ?

Donc (Lancelot pèse, comme il est de coutume, ses mots), vous disiez que vous aviez lu dans le journal le compte rendu de l'accident d'Irina...

Oui oui oui… et deux trois petites choses m'ont paru suspectes…

L'homme tousse et Lancelot pense, Nous y voilà.

Le père d'Irina reprend :

L'autopsie d'abord. Et tout le reste aussi (geste de la main qui englobe quelque chose que Lancelot n'est pas en mesure d'imaginer).

Je ne vois pas, fait Lancelot, légèrement sur la défensive, je n'ai pas lu les articles qui concernaient l'accident… J'ai préféré éviter ce genre de prose (Lancelot se dit pour lui-même, Pourquoi je lui parle comme ça, pourquoi est-ce que je prends ce ton affecté ? La remarque de l'homme le replonge dans le Très Grand Choc Supplémentaire, l'information que lui a donnée l'inspecteur Schneider il y a quelques jours, le doute qu'elle a instillé dans les dédales de sa douleur). Il reprend plus calmement, La police a évoqué quelques points sombres dans cette histoire d'autopsie (il regrette aussitôt ses paroles dès qu'il voit son beau-père se pencher en avant et le scruter avec un intérêt tout neuf). Mais rien de vraiment litigieux non plus…

Quelles preuves a-t-il finalement que cet homme est bien le père d'Irina ? Il s'est laissé aller à un peu de sensiblerie en imaginant que leurs yeux avaient quelque chose de commun, il est tout à coup beaucoup moins sûr de cette symétrie, il regarde l'homme en s'effrayant de l'avoir laissé entrer chez lui (on raconte si souvent des histoires de ce genre, il lui offre le thé et l'autre l'égorge sauvagement et emporte son corps dans un sac-poubelle), il se met à scruter son visage d'une telle façon que le père d'Irina arque les sourcils d'étonnement.

Que se passe-t-il ? s'étonne-t-il.

Le vieux se touche le visage comme pour s'assurer de sa consistance.

Quelque chose ne va pas ?

Lancelot se lève.

Je ne suis pas très en forme, je vous prie de m'excuser, est-ce que vous pourriez revenir un peu plus tard pour que nous discutions tranquillement de tout ça…

Lancelot s'incline devant son hôte et lui sourit, l'autre ne peut pas éviter de prendre congé, il se lève également, toussote, veut convenir d'un autre rendez-vous, hésite en passant d'un pied sur l'autre, ce qui ajoute pour Lancelot à son côté simiesque, il se frotte les mains, tergiverse, Lancelot s'approche, le prend par l'épaule et lui dit à l'oreille :

Laissez-moi en paix, j'ai besoin pour le moment de calme et de sérénité.

Lancelot se sent encore une fois dédoublé et les deux Lancelot encadrent le père d'Irina et l'escortent jusqu'à la porte. Au moment où ils vont refermer le battant derrière le père d'Irina qui déjà s'éloigne dans la neige par le chemin tracé par l'un des deux Lancelot, ceux-ci rouvrent la porte en grand et l'interpellent. L'homme se retourne, interrogateur.

Vous restez dans les parages ? demande Lancelot qui reprend corps.

Je suis à l'hôtel du Centre.

Il fait une pause et ajoute :

Vous pourrez me trouver là-bas.

Une corneille vient s'échouer entre eux, elle marche en se dandinant et en posant prudemment ses pattes sur le sol blanc comme si elle n'était pas du tout sûre de sa stabilité puis elle croasse avant de reprendre son envol.

Lancelot se sent épuisé. Il a envie de rester sur son île, de ne rien savoir de ce qui concernait sa femme, sa douce, son inséparable, de ne rien essayer de percer de ses mystères et de ses mensonges, Je voudrais fermer la chambre à double tour, Lancelot fait un signe au père d'Irina, le cachet du docteur Epstein le rend atone et tranquille, Je voudrais fermer la chambre à double tour, il se retranche dans sa maison, il laisse l'hiver dehors et le père d'Irina retourner à sa voiture sur le talus (une voiture japonaise grise avec des cannes à pêche dans le coffre et peut-être que ce vieil homme parle à sa femme qui ne sait plus rien dire, il lui parle, il fait comme si elle était installée sur le siège passager, il lui parle et il retourne à son hôtel vider le minibar en regardant les chaînes du câble, sa femme est enfermée à l'intérieur d'elle-même et sa fille est morte, cet homme est sec et raide et léger comme un bout d'écorce dont on fait les esquifs), Lancelot s'adosse à la porte d'entrée et parcourt des yeux le salon, son fauteuil et la table basse, il se dit que le programme télé qui est posé là date d'avant la mort d'Irina et cette pensée lui donne le vertige, il sait que le téléphone va sonner, que la police rappellera et lui posera des questions stupides et pernicieuses, il se dira, Mais que soupçonnent-ils donc ? il n'arrivera pas à y voir clair (merci docteur Epstein), il essaiera de se concentrer mais sera pris dans la tourbe de son cauchemar (comme dans les rêves où il a du mal à comprendre les situations, et quand il commence à les comprendre, elles ont déjà filé entre ses doigts, elles ont muté et échappé à son analyse, il tente toujours de rattraper les choses qui disparaissent mais ses pieds sont pris dans la mélasse, la glu s'étire sous ses pattes), Lancelot se dit, Il faut que je fasse quelque chose avant que ce putain de téléphone ne se remette à sonner, avant que quelqu'un ne débarque encore pour me dire, Bonjour je suis le fils caché d'Irina.

Je pourrais appeler le commissariat, songe-t-il, pour vérifier si le père d'Irina est bien le père d'Irina. Mais l'idée lui déplaît. Je ne vais toucher ni au téléphone ni à la télé, je vais aller faire des gâteaux. Lancelot pense à ce que disait sa mère de l'activité culinaire, elle répétait, Ça me vide la tête. Cette petite phrase le soulage, il se tourne vers la cuisine et décide de ne parler à personne (mais que signifie ce personne ? il ne s'agit que de la police, Lancelot n'a pas d'amis, ç'a été un choix, une décision, une exclusivité), il ne parlera à personne donc de l'irruption du père d'Irina.

11

Lancelot commence à fouiller dans les recettes de cuisine pour trouver de quoi occuper ses quatre mains et ses deux têtes pleines d'Irina. Il met la main sur la pochette où elle glissait les fiches cuisine – Irina faisait en réalité assez peu la cuisine pour quelqu'un qui avait si scrupuleusement conservé les recettes des magazines, rangé celles qu'on lui donnait, noté celles qu'on lui dictait. Lancelot s'assoit. Il ouvre la pochette. L'écriture d'Irina est partout, elle écrivait les recettes sur n'importe quel support, le verso d'un emballage de biscottes, le dos d'une enveloppe. Certaines recettes doivent dater de ses toutes jeunes années quand elle était encore obligée de noter que pour reconnaître de l'eau bouillante il lui fallait attendre « de grosses bulles + ploup ploup ». Lancelot les classe en tas, il les lit et espère dénicher quelque chose de personnel, une remarque amusante, une date, n'importe quoi. C'est alors qu'il tombe sur, coincée entre la brandade de morue et le poulet au curry (recettes récoltées à l'époque où elle n'était pas encore végétarienne), écrite de la main d'Irina (de grandes lettres inclinées à droite, les barres horizontales des T qui servent de toit aux autres lettres), c'est alors qu'il tombe sur la recette du napalm.

Un tiers de Schweppes + deux tiers d'essence.

Il relit la phrase. Dessous il y a écrit en plus petit : Schweppes ou concentré de jus d'orange.

Il se dit, C'est un cocktail spécial.

Et il passe à autre chose.

Il passe à la tarte meringuée aux groseilles. Il se dit, Il n'y a pas de groseilles dans le coin. Est-ce que je peux faire ce truc avec des airelles congelées ? Il réfléchit. Puis il retourne au feuillet sur lequel est notée la recette fantaisiste du napalm. Il la relit. Il constate, C'est dingue ce cocktail. Il se reprend, Non pas de cocktail buvable avec deux tiers d'essence. Il lève les yeux. Regarde au-dessus du buffet et pense, C'est curieux, il y avait une pendule ici avant, entre l'affiche de chicorée à l'ancienne et le tableau récapitulatif des apports glucidiques dans les aliments manufacturés. Lancelot reste perplexe, en suspens, il a l'impression d'être au milieu d'une pluie de cendres dans une petite boule de neige, les flocons tourbillonnent autour de lui à chaque fois qu'une main malfaisante – ou malicieuse – retourne la boule et son paysage pompéien. Lancelot observe l'espace libre au-dessus de la commode sur le mur couleur chair de pastèque qu'Irina a peint elle-même l'hiver dernier. Il ne se souvient pas d'avoir décroché cette pendule. Il gémit, Ça recommence ? Il se dit qu'il lui faut être très prudent dans chacun de ses gestes comme s'il était surveillé par un sniper nerveux embusqué en face. C'est important, pense-t-il alors, de toujours faire comme si l'on était sous la surveillance d'un cinglé armé jusqu'aux dents, ça permet d'éviter toute gesticulation superflue. Lancelot baisse les yeux vers le feuillet. Il se sent à la fois excité et coupable et inquiet comme s'il était tombé sur le journal intime d'une cousine plus âgée et qu'il avait douze ans. Il lit la suite : Remplacer l'amylacétate par du jus de banane. Il lit : Remplacer le chlorate de potassium par du substitut de sel. Il lit : Remplacer le peroxyde d'hydrogène par de la teinture pour cheveux. Il lit : Remplacer l'hydroxyde de sodium par de la lessive. Il lit : Fumigène, entourer balle de ping-pong avec feuille d'alu puis y mettre le feu (il y a un croquis qui explique comment tenir l'objet pendant qu'il brûle). Il lit : Bombe au chlore = chlore de piscine + lait + bouteille hermétique (attention pas de verre). Il lit : Cocktail Molotov = bouteille de bière + 220 ml d'alcool + 80 ml d'huile + linge imbibé (si mèche faire un trou dans le bouchon). Il lit : Peroxyde d'acétone = eau oxygénée à 6 % + acétone + acide chlorhydrique à 30 % (facile).

Il pourrait continuer à lire encore longtemps comme ça, le recto et le verso de la feuille sont emplis de ces formules. Il y a des étoiles à côté de chacune des recettes. Lancelot se demande si elles indiquent le degré de difficulté, l'ampleur des dégâts occasionnés ou le nombre de fois qu'Irina a expérimenté chacune de ces formules.

Cette idée le fait sourire.

C'est comme de se permettre une pensée indécente la concernant… Lancelot considère la feuille de papier, il se dit qu'il s'agit peut-être simplement d'une petite chose décorative, ces étoiles au stylo bleu qui ponctuent la page blanche comme des grains de riz le bitume après les épousailles. Ou bien alors il s'agit d'un message secret.

Lancelot se tient à deux mains à la table de la cuisine. Ses raisonnements lui échappent. Il s'accroche et il finit par décréter que toutes les formules qu'il a trouvées là sont les libellés de l'exaspération d'Irina.

Il est content de ce qu'il vient d'inventer : libellés de l'exaspération d'Irina. Ça fait vrai, ç'a du souffle, ça ronfle. Il le prononce très distinctement, Libellés de l'exaspération d'Irina.

Puis l'abattement lui tombe d'un coup sur les épaules.

Une sale petite voix lui chuchote qu'Irina s'est peut-être jetée elle-même du haut du pont pour se débarrasser de lui. Lancelot arrive en général sans trop de problèmes à se recouvrir d'une litière de mélancolie et de regrets comme s'il se plongeait sous un suaire de neige.

Alors il lisse le papier, contemple NAPALM écrit et souligné.

Il se dit, Reprenons.

Il se dit, C'est quoi cette connerie pour ado ?

Il se dit, Je vais mettre ça de côté, et il pense aussi bien à la feuille incriminée qu'au soupçon qui tente de s'insinuer en lui.

Il se souvient alors de qui était sa femme. Il se souvient de son visage. Il a un truc spécial pour s'en souvenir. Il commence par l'œil gauche, puis il fait le sourcil, l'oreille et le reste vient. Le visage se recompose. Il a peur de ne bientôt plus pouvoir se remémorer aussi distinctement le visage d'Irina, il aurait aimé qu'elle porte des lunettes, il aurait aimé que son visage soit mémorisable autour d'un accessoire, que son visage, le souvenir de son visage, puisse devenir cet accessoire. Lancelot panique à l'idée d'oublier le visage d'Irina. Et il ne parvient pas à superposer les traits de sa bien-aimée avec le papier qu'il vient de trouver. Puis il dit tout haut, Il faut que j'appelle son père.

Il consulte les renseignements puis demande l'hôtel du Centre, le combiné coincé contre l'épaule, il allume la chaîne, c'est *Tosca*, il éteint, s'assoit dans le canapé usé par les lectures d'Irina, se relève aussitôt et, quand on lui passe le père d'Irina, Lancelot se présente et lui lance de but en blanc :

Prouvez-moi que vous êtes bien le père d'Irina (en prononçant ces mots, Lancelot se sent fort et rusé comme Philip Marlowe).

L'autre a quelques secondes d'indécision, il n'a pas l'air impressionné, juste agacé, on entend le son de la télévision très bas en arrière-plan, on peut imaginer l'homme tout raide et sec allongé sur le lit sans pouvoir plus se plier qu'une baguette de bois, on peut voir très clairement le couvre-lit chenille orange et les rideaux en mousseline jaune, la télé en hauteur comme à l'hôpital et le sac de l'homme béant posé sur le tabouret en métal de l'entrée, Lancelot se dit, Mon Dieu, je suis à la fois ici et là-bas.

Je peux, énonce alors lentement l'homme au bout du fil, je peux vous présenter mes papiers d'identité, je peux vous parler d'elle, je peux vous montrer des photos d'elle quand elle était gamine…

Vous en avez avec vous ?

J'en ai toujours sur moi.

Lancelot sent qu'il ne va pas tenir longtemps sans sangloter. Il se passe la main sur les yeux et le front et il dit :

Je peux vous voir quand ?

L'autre marque une pause, on dirait qu'il monte le son de la télé, puis le son décroît de nouveau et il indique :

Demain matin je vais à la pêche près du pont.

Lancelot se dit, Ce mec est fou, il va à la pêche

dans la rivière où sa fille s'est noyée. L'autre ajoute :

Vous voulez venir avec moi ?

Lancelot se dit, Connard, je n'ai aucune envie d'aller me les geler avec toi sur les bords de l'Omoko.

OK pour demain matin, accepte Lancelot (mais ce n'est pas vraiment lui qui prononce ces mots), huit heures au pont d'Omoko.

J'y serai bien avant, fait l'autre très calmement en semblant mâchonner quelque chose, les cacahuètes en conserve du minibar peut-être.

Alors à sept heures, dit Lancelot (et il sait que si l'autre insiste, il ira tout de suite, et ils pourront mesurer ainsi l'attachement qu'ils ont l'un et l'autre pour leur morte commune).

Sept heures, répète le père d'Irina avec sa voix un peu étouffée par la position de son cou contre l'oreiller. Et il raccroche sans plus de cérémonie, comme s'il reposait très lentement pour ne pas lui faire de mal le combiné sur son support.

12

Le fait qu'Irina avait couché avec lui dès l'instant où elle avait deviné qu'il en avait le désir, qu'elle n'avait pas paru y attacher tant d'importance que cela, que c'était apparemment une chose qui arrivait à son corps mais pas tout à fait à elle, qu'elle se sentait isolée à l'intérieur de sa tête et que son corps n'était qu'un appendice décoratif, cette manière de cohabiter avec sa chair avait longtemps plongé Lancelot dans l'angoisse.

Car si elle y attachait si peu de prix elle pouvait laisser n'importe qui en user comme bon lui semblait.

Une fois il avait émis l'idée selon laquelle elle accordait une si piètre valeur à son propre corps qu'elle n'aurait jamais pu baiser pour de l'argent. Elle avait eu l'air un peu choquée qu'il pensât une chose pareille. Elle avait examiné la question. Oui oui, avait-elle fini par dire, j'ai souvent baisé simplement par politesse. Pour remercier quelqu'un d'un service rendu par exemple. Pour m'avoir transportée d'un point à un autre. Pour m'avoir invitée à dîner. Mais jamais directement pour de l'argent.

Lancelot l'avait regardée réfléchir – les yeux dans le vague, elle était pliée en trois sur le canapé avec une couverture sur les jambes et elle remuait imperceptiblement comme pour apprécier pleinement le confort et la chaleur de sa position. Il s'était dit, Oh mon Dieu, je veux qu'elle cesse de coucher avec n'importe qui, il avait commencé à l'imaginer avec des types qui la prenaient sous des angles variés, son visage s'était crispé, son petit film lubrique lui filait des haut-le-cœur, il avait grimacé, il s'était dit, Je suis en train d'avaler une pleine cuillerée de vinaigre, et elle s'était tournée vers lui, C'est bien fini maintenant mon amour, je ne veux plus qu'on fasse ça à mon corps.

Et Lancelot s'était senti très triste en l'entendant prononcer ces mots, il s'était approché d'elle, il la trouvait émouvante, c'était ce qu'il s'était dit, Elle est émouvante, il avait eu envie de pleurer, il s'était dit, Mais qu'est-ce qui m'arrive, ça doit avoir un rapport avec ma mère (Lancelot se rabrouait parfois pour couper court à sa sensiblerie naturelle), il aurait tant aimé qu'Irina le rassure, qu'elle lui signe un papier, là de suite, où elle s'engageait à ne plus prêter son corps (elle avait même dit, Les hommes en faisaient un usage temporaire, comme si elle avait parlé de céder un ouvre-boîtes à son voisin de palier ou de sous-louer son appartement pendant l'été) à n'importe quel salopard priapique de passage.

Il l'avait prise dans ses bras, elle avait souri comme si elle comprenait que c'était lui qu'elle devait consoler et elle l'avait bercé sans rien dire pendant longtemps.

Après, elle s'était levée en soupirant et elle avait dit, Je me sens grosse. Et Lancelot l'avait regardée en contre-plongée (il était assis sur le tapis à côté du canapé) et il avait dit ce qu'il pensait qu'elle attendait, Mais non, tu n'es pas grosse du tout.

Elle s'était tournée vers lui en fronçant les sourcils, Tu y connais quelque chose peut-être ?

Il s'était senti vexé, il lui semblait avoir eu le même genre de conversation quand il était adolescent – ce qui était totalement faux, vu que quand il était adolescent il avait tant peur des filles qu'aucune d'elles ne serait venue se plaindre à lui de la circonférence de ses cuisses, elles ne faisaient que l'ignorer et le regarder de très loin comme s'il appartenait à une autre espèce animale qu'elles. Il avait souvent eu le sentiment d'être légèrement répugnant (Je transpire ?) ou contagieux (J'ai des verrues ?). Lancelot pensait à l'époque que cette disgrâce ne s'adressait qu'à lui, ignorant encore les lois fondamentales qui régissent les relations entre les filles et les garçons, ne se doutant pas que sa réserve, sa faible myopie et son apparent détachement lui octroyaient une aura toute particulière. Irina avait dit, Désolée, et il avait répété, Désolé. Ils s'étaient souri et elle avait dit, Ça n'empêche, j'ai l'impression d'être une baleine en ce moment. Il lui avait tendu la main et il avait dit, C'est bizarre, les femmes, ça voudrait toujours être la plus maigre de l'assemblée. Elle avait souri encore et conclu, Ne t'inquiète pas, je m'arrange avec mes déceptions.

13

Lancelot prend ses médicaments, ceux qui sont censés le tranquilliser et n'amener à son esprit que des pensées mièvres avec filtre rose layette. Ce sont des médicaments qui luttent contre les obsessions. C'est ce que le docteur Epstein a dit, Ça va vous aider à lutter contre vos obsessions, et Lancelot s'est demandé ce qu'il voulait dire, si le désespoir qu'il ressentait à l'idée que son trésor n'était plus avait à voir avec une obsession. Il n'avait pas osé poser la question, il s'était dit, Le docteur Epstein sait ce qu'il fait.

Il prend ses médicaments, il faut qu'il tienne jusqu'au lendemain matin sept heures, puis il examine le contenu de l'armoire à pharmacie, il trouve une boîte de Valium périmé (il ignorait même qu'elle prenait ce genre de chose), il en reste trois qu'il avale avec un peu d'eau au robinet du lavabo, il redescend et se sent très vite épuisé, pris d'une somnolence ivre (c'est Irina qui buvait, pas lui), il se met à rire et son rire lui secoue les épaules, il fait Oh oh oh, et les syllabes s'étirent et ça donne quelque chose comme Oooooh Oooooh Oooooh, alors il finit par s'endormir les bras en croix sur le sol en béton du garage, il se réveille plusieurs heures après (il fait nuit maintenant), gelé, avec l'impression effrayante qu'un nid de tarentules a élu domicile dans son cerveau, ça grouille, ça tisse de la soie et c'est venimeux. Il reste assis dans l'obscurité, il est entouré de toutes les caisses en bois dans lesquelles il range les outils et sur lesquelles il note le contenu au marqueur, Lancelot est un homme appliqué, il ressent toute cette méticulosité qui vit autour de lui, il est presque agressé par cette méticulosité, on dirait des tas de cendre et d'ossements microscopiques entreposés dans des urnes alignées sur les étagères d'un columbarium, l'obscurité apaise sa douleur (son cou est raide, il a froid au crâne et aux pieds) mais entretient ses divagations. Il aimerait rester assis, le cul gelé sur le béton poussiéreux du garage, tout le reste de sa vie. Il a l'impression d'un isolement absolu. Son chagrin lui semble aussi palpable que l'air noir et odorant qui l'entoure (ça sent le moisi et l'essence, ça sent le vieux caoutchouc qui s'effrite et qui colle). Lancelot respire lentement comme pour ne pas brutaliser ses poumons et il pense qu'il n'a rien de mieux à faire que de pleurer sur ce qui n'est plus. C'est ce qu'il fait. Et il reste encore une bonne heure, hébété, à sangloter sans bouger dans son garage. Il finit par se calmer et se demander, Peut-être que je ne vais pas arriver à me lever, et comme il n'en peut plus de ne pas parler, puisqu'il n'entend dans une journée aucune autre voix que celle de la radio ou celle de l'inspecteur qui l'appelle pour des précisions et des soupçons, il dit tout haut, Peut-être que je suis paralysé. Entendre le son de sa propre voix lui fait beaucoup de bien. Il prononce, Bon il faut que je sorte d'ici. Et il se lève, la tête lui tourne un peu mais il rejoint la porte qui mène à l'escalier, et en montant les marches, en se tenant à la rampe (qui n'est qu'une tringle à rideaux en bois qu'il a vissée là en pensant que ce serait temporaire), il s'écrie, Mais qu'est-ce qu'elle me trouvait ? Bon Dieu, qu'est-ce qu'elle me trouvait ?

Au milieu des escaliers, Lancelot s'arrête. Il s'interroge, un pied en l'air, il se dit, Le milieu d'un escalier est un endroit parfait pour chercher des réponses, il se dit, Pourquoi allait-elle toujours au bout du monde filmer ces bestioles en perdition ? Après quoi courait-elle ?

Quand Lancelot lui posait la question, elle pirouettait, Je cours après le temps qui fuit, disait-elle. Puis elle grimaçait comme pour être sûre qu'il n'allait pas prendre au premier degré ce qu'elle invoquait là.

Lancelot continue de s'interroger, il s'est maintenant assis sur une marche, il tient le mur d'une main comme pour être sûr qu'aucun affaissement de terrain ne guette.

La jeunesse d'Irina se réduisait comme peau de chagrin et les Gorgones transformaient peu à peu ses périples en une sorte de mille-feuilles de déceptions, de découragement et d'épuisement.

Lancelot s'aperçoit que les voyages l'ont toujours profondément désespéré, faisant jaillir en lui un intense abattement – les voyages ne se dirigeraient-ils pas tous vers une lagune à moitié recouverte de hautes eaux et d'algues toxiques, où les brumes seraient poisseuses et le vrai goût du monde resterait inaccessible. Lancelot ricane, se lève et reprend son ascension. Il est déterminé à finir de gravir les marches, dût-il le faire à quatre pattes. Il arrive sur le palier. Mais au moment où il pose le pied dans leur chambre, continuant de se lamenter, Qu'est-ce qu'elle pouvait trouver à un type comme moi ? il se met à battre en retraite parce que la vue de leur lit l'étrangle et le sonne.

Et puis il y a autre chose.

La coiffeuse d'Irina n'est plus là. Elle était bien ici dans l'angle gauche de la chambre, rassemblons nos esprits, ne perdons pas la tête, elle était bien là il y a encore deux jours ou bien une semaine ou je ne sais pas, ou alors Irina l'a refilée à l'Armée du Salut ? non elle n'a évidemment rien fait de tout cela, la coiffeuse a simplement disparu, c'est une constante dans la vie de Lancelot, les objets basculent dans une dimension parallèle, il ne peut rien contre ça.

Il redescend au salon en se cramponnant au mur, il allume la télé qui bienheureusement n'a pas tourné fantôme, il s'installe dans son fauteuil pour regarder un match de boxe et s'endort assez vite dans la lueur spasmodique, soûlé par les commentaires qui ressemblent tant à une litanie qu'il croit entendre une prière.

14

Il ne fait plus nuit quand Lancelot s'arrête près du pont d'Omoko. Le ciel rougeoie déjà à l'est mais ce rougeoiement lui semble ne rien pouvoir embraser. Lancelot reste immobile dans sa voiture à observer ce phénomène, il éteint la radio qui diffusait une émission sur l'insomnie, il écoute la voiture cliqueter et se refroidir, il se dit, Ça doit ressembler à ça un lever de soleil au pôle Nord.

Puis il sort et claque la portière, et le bruit qu'elle fait en se refermant est un bruit métallique et creux qui s'accorde parfaitement à la surface gelée du monde. Lancelot regarde autour de lui, il se dit, Ce type m'a posé un lapin, cette pensée le soulage et le déprime (il va pouvoir rentrer au chaud chez lui mais il n'y aura personne pour l'accueillir). C'est alors qu'il aperçoit de l'autre côté du pont la voiture grise japonaise garée derrière le local électrique. Il s'approche, les mains enfoncées dans les poches, exhalant à chaque respiration un nuage de vapeur. Il observe les alentours, il se figure que la police le surveille et se demande ce qu'il fabrique à l'aube au pont d'Omoko, il se dit qu'il aurait dû les prévenir que le père d'Irina avait refait surface, puis il se rabroue. Tu es une personne très disciplinée et docile, lui avait dit un jour Irina en lui caressant le visage. Et il avait trouvé ça horrible, il avait pensé qu'elle aurait pu décrire ainsi un poney en grattouillant le crâne de l'animal.

Il sent la sueur de son corps qui refroidit et s'évapore.

Il frissonne.

Le pont c'est un endroit à fantômes.

L'air est limpide et mon cœur transparent.

Lancelot s'accoude au parapet rafistolé.

A-t-elle pensé à moi au moment où tout s'est éteint ?

Un froid très particulier semble remonter de la rivière, un froid de terreau, humide et mentholé.

Quand j'étais avec Irina, je ne ressentais jamais la solitude comme je la ressens maintenant. Elle m'empêche de respirer et d'imaginer ce qui va se passer dans les heures à venir. Elle me bloque dans le présent. Me goudronne les plumes.

Lancelot se secoue et se détache du parapet.

En marchant vers la voiture japonaise de son beau-père, il se demande à partir de quand tout a commencé à déraper. Il se dit que ç'a à voir avec leur départ de Camerone pour cet endroit glacial. Lancelot se rend compte maintenant que c'était un choix aberrant. Troquer Camerone et son climat paisible pour la rudesse de celui-ci… Finalement ils n'avaient vécu que neuf mois à Camerone avant qu'Irina ne le cajole assez pour le convaincre d'échanger son vieil appartement contre la maison en bardeaux au milieu de la neige. Je n'en peux plus de cette ville et de cette pollution, avait-elle décrété, je suffoque, je suffoque. Et elle avait fait mine d'étouffer. Et Lancelot avait pensé, Là-bas au moins je l'aurai toute à moi. Et c'était une très mauvaise raison de partir. Lancelot le savait bien.

C'était pourtant cette raison qui l'avait poussé à sortir de son inertie minérale coutumière et à organiser leur départ pour Catano…

C'est à ce stade de ses réflexions que Lancelot aperçoit l'homme en bas du pont, sur la rive, derrière le rocher, il est debout, une canne à pêche à la main, il fume, semblant perdu dans la contemplation de son bouchon ou du courant qui charrie des algues molles, il est habillé comme la veille, Lancelot se dit, D'ici il a l'air jeune, à quel âge a-t-il bien pu avoir Irina ? Le type lève la tête et fait un signe à Lancelot qui se dirige vers lui en dégringolant la pente. Il y a à peu près deux mètres de glace depuis la berge mais le milieu de la rivière est toujours libre, Lancelot se dit, Il ne fait pas si froid que ça, et malgré tout j'ai les os qui gèlent. Salut, crie-t-il à l'homme. L'autre répond par un hochement de tête (pour ne pas effrayer les poissons ?).

Lancelot essaie de ne pas regarder la rivière tout de suite.

Irina est morte là-dedans, se dit-il.

Mais en fait non.

Irina n'est pas morte là-dedans.

Et Lancelot le sait. La police l'en a informé. L'inspecteur Schneider a fini par lui annoncer que selon toute probabilité elle était morte avant de se retrouver au milieu de la rivière dans la voiture. (La voiture de qui d'ailleurs, rappelez-moi à qui était cette voiture ? Ah vous n'avez pas encore trouvé ? Prévenez-moi quand vous connaîtrez le nom du propriétaire de la voiture dans laquelle est morte ma femme, oui oui oui, prévenez-moi, cela m'agréerait vraiment.)

Irina ne s'est pas noyée.

L'apprendre fut un Très Grand Choc Supplémentaire.

Pour le moment, il manque trop de carreaux à la mosaïque alors Lancelot a du mal à concevoir la mort d'Irina autrement que par noyade. Il a tendance à toujours regarder la rivière comme si cette eau avait servi à pénétrer les poumons de sa belle (les oreilles et la bouche et tous les orifices) et c'est un peu difficile à supporter. Il voit tomber la voiture et il voit les cheveux de sa princesse s'agiter dans l'eau qui monte dans l'habitacle, ce sont ses cheveux qu'il visualise, ses paupières lourdes et baissées, le tissu de son manteau qui s'alourdit et se gonfle de toute l'eau de la rivière et il voit les cheveux d'Irina danser autour de son visage, ils ne sont plus bouclés comme dans la réalité, mais longs et souples et légers et végétaux, tout cela semble très lent et pas du tout furieux ni sanglant ni bruyant ni rapide, il n'y a pas de choc, ni de tôle ni de métal ni de fracas, c'est une noyade romantique et silencieuse qu'imagine Lancelot, avec simplement le bruit délicat des bulles d'air qui remontent autour du corps d'Irina, qui le contournent et le dessinent mais ne peuvent plus rien pour lui, Lancelot visionne ce film au ralenti, Irina n'a plus de poids, elle est devenue une sylphide, ses mains se lèvent au-dessus de sa tête comme si elles étaient offensées de toute cette eau noire qui les entoure et les pénètre. La voiture atteint le fond sableux de la rivière et soulève de légers tourbillons stériles qui évoquent à Lancelot les pas des astronautes quand ils ont aluni, tout s'éteint, les phares de la voiture clignotent et déclarent forfait, il fait maintenant tout à fait nuit dans la rivière autour et à l'intérieur d'Irina.

Le film s'arrête.

Lancelot reprend pied.

Il s'approche du père d'Irina.

Il aimerait avoir l'air désinvolte mais c'est impossible par ce froid. Il sautille sur place, l'autre se retourne vers lui et fixe son regard sur les pieds de Lancelot, celui-ci comprend que ses sauts font fuir le poisson alors il cesse et se met à claquer des dents.

Je m'appelle Paco, déclare le type.

Moi c'est Lancelot (Lancelot se rend compte qu'il ignorait le nom du père d'Irina).

Paco fait signe qu'il est au courant, il retourne à sa contemplation, Lancelot se dit, C'est absurde, c'est quand même lui qui est venu me voir et maintenant le voilà muet, il avale deux gélules qu'il a dans la poche de son blouson, il se dit, Détends-toi.

Il regarde les grosses bulles prisonnières et plates à travers la glace translucide, elles bougent parfois très rapidement puis s'immobilisent comme si elles cherchaient une meilleure place sur l'échiquier, il entend les choucas et les voitures passer sur le pont, il pense au prénom du père d'Irina, ça ne lui évoque rien, il pense, C'est espagnol ça, Paco, il essaie de réfléchir mais un brouillard persistant occupe son esprit, alors pour chasser cette désagréable impression d'embourbement, il finit par dire :

En fait, ce soir-là, elle n'était pas censée être sur le pont d'Omoko. Je l'avais moi-même accompagnée à l'aéroport. J'étais rentré et elle m'a téléphoné un quart d'heure avant que les flics ne m'appellent, pour me dire que son vol pour Ceylan avait du retard.

En pleine nuit ?

En pleine nuit.

Elle devait prendre un avion en pleine nuit ?

Oui (Lancelot se tourne vers le type, il fronce les sourcils).

Les avions ne décollent pas la nuit.

Ah.

Lancelot fixe la berge d'en face et hoche la tête, il se sent très las, le fait qu'elle ne se soit pas donné la peine de rendre son mensonge crédible, qu'elle ait su Lancelot si déconnecté du réel qu'il ignorait même cette donnée, l'attriste infiniment. Il regarde Paco, il s'aperçoit que l'autre doit le prendre pour un blaireau.

Et donc ?

Quoi ? fait Lancelot.

Vous imaginez quoi ? La police imagine quoi ?

Je ne sais pas. J'imagine qu'elle avait une double vie (il a du mal à dire ça, Lancelot, ça coince dans sa gorge).

Un amant ?

Peut-être.

Paco n'insiste pas. Il scrute son bouchon.

Vous pêchez quoi ? s'enquiert Lancelot.

Truite.

Lancelot se rattrape à temps, il a failli répondre qu'il aime bien les truites avec des amandes effilées, il est atterré, il se dit, Je perds les pédales, le type à côté de lui a toujours l'air d'un militaire à la retraite et sa raideur crispe Lancelot.

Elle vous avait dit que j'étais mort de quoi ? demande le père d'Irina tout à coup.

En fait, ça n'était pas très clair… L'alcool… Quelque chose comme ça…

Ah oui ?

Oui.

Je suis étonné qu'elle n'ait pas inventé quelque chose de plus… tordu… (et là Lancelot se dit, Il me parle d'Irina ou de quelqu'un d'autre ?) foudroyé par l'orage, laminé par un cancer des testicules ou coulé dans le béton par une bande de truands à la solde de la mafia russe.

Je ne pense pas qu'elle aurait imaginé des choses pareilles, avance Lancelot avec prudence.

Ah oui ? répond l'autre et il regarde Lancelot en coin et celui-ci se dit, Il essaie de suggérer qu'il la connaît mieux que moi, il pense que je suis le naïf de la farce.

Lancelot a envie de s'asseoir. Ses jambes se dérobent, il ressent tout à coup la domination de cet homme et celle d'Irina, il se dit, J'ai été manipulé ? il se dit, Ma douce, mon trésor, mon petit cœur.

Et quoi d'autre ? interroge le père d'Irina.

Comment ça ?

La police pense simplement qu'elle avait une double vie ?

Oui pourquoi ? Vous imaginez qu'il y avait autre chose ?

Ah non non non, moi je n'imagine rien. Je me demande juste ce qui les turlupine vu que le fait qu'elle ait eu une double vie, c'est plutôt votre affaire en définitive, c'est à vous de vous arranger avec ça maintenant.

Lancelot regarde le bouchon filer dans le courant, les algues dériver le long de la ligne, il finit par dire :

C'est qu'elle ne s'est pas noyée. Elle était déjà morte quand la voiture a foncé dans la rivière.

Ah. Ah (ça pourrait ressembler à un raclement de gorge ou à un petit rire).

Pour le moment ils suggèrent une crise cardiaque, précise Lancelot.

Et vous ?

Elle n'était pas cardiaque à ma connaissance mais (geste de la main balayant l'air comme si ses doigts brûlaient et qu'il fallait les refroidir) apparemment je ne la connaissais pas si bien que ça.

Oui. Apparemment.

Lancelot pense, Putain, c'est moi qui peux dire ça, Ducon, tu n'as absolument pas le droit de suggérer quelque chose dans ce genre, toi.

Puis il se dit, Je suis en train de filer des infos à ce type alors qu'il est là comme un crétin à essayer de ferrer une truite et qu'il en sait beaucoup plus que moi au sujet d'Irina.

Parlez-moi d'elle quand elle était enfant, demande-t-il.

Le père d'Irina regarde le ciel, il éteint sa cigarette dans une boîte en métal qu'il a apportée à cet effet, il y a déjà une demi-douzaine de mégots à l'intérieur, Lancelot pense qu'il n'aimerait pas être une fourmi enfermée là-dedans, ça doit puer l'enfer, Paco revisse le couvercle et replace la boîte dans sa besace, il commence :

Elle était la plus charmante des gamines. Elle était très sage. Elle allait tout le temps à la messe avec sa mère. Et à part ça elle dessinait des trucs avec Jésus et les apôtres et Marie-Madeleine et l'ange Gabriel, il y en avait plein sa chambre. Elle disait qu'elle voulait être bonne sœur. Irina chantait à l'église, elle avait la voix la plus claire qui soit. Sa mère s'absentait souvent. Elle était dépressive. Elle faisait des cures de sommeil alors elle s'absentait. Et ça mettait Irina très en colère. Irina me préparait à manger et s'occupait de tout pendant que sa mère n'était pas là. Et elle priait sans cesse, à cause de sa colère et pour le salut de sa mère. Quand celle-ci revenait, Irina lui cachait ses médocs. Elle avait entendu le prêtre dire que les antidépresseurs étaient les friandises du diable. Ç'a duré jusqu'à ce que les garçons prennent toute la place dans son cœur.

C'est arrivé quand ?

Quand elle a eu quatorze quinze ans.

Tout a changé ?

Elle n'est plus jamais retournée à l'église et elle a fini par fuguer à dix-sept ans avec son petit ami de l'époque qui travaillait dans un élevage de poulets. Ils sont partis en voiture, avec une glacière dans le coffre et une douzaine de poulets congelés. On ne l'a pas revue pendant deux ans. Sa mère était dans un état…

Vous ne l'avez pas recherchée ?

Elle avait dix-sept ans, ça ne servait pas à grand-chose de la ramener de force à la maison pour qu'elle injurie tout le monde pendant encore huit mois et qu'elle se barre après ça avec son égorgeur de poulets.

C'est une façon de voir les choses.

Paco se tourne lentement vers Lancelot et celui-ci a la conviction qu'une langue fine et fourchue va sortir de la bouche sans lèvres de son beau-père et qu'il va lui planter ses crocs gorgés de venin dans le cou. Lancelot se dit, C'est incroyable comme ce type ressemble à un naja.

Il finit par demander :

Elle a fait quoi pendant deux ans ?

Elle a essayé toutes sortes de choses, elle a appris à filmer, c'était ça qu'elle voulait faire, elle a trafiqué un peu avec le petit ami poulet…

Trafiqué ?

Il a commencé, à l'époque, à bosser dans un hôpital, il dévalisait l'infirmerie centrale (Paco secoue la tête comme si toutes ces affaires lui revenaient avec une précision migraineuse). Mais pas des médicaments, non, il piquait des bandes, des cathéters, des électrocardiographes et Irina a traficoté avec lui…

Irina ?

Elle envoyait pas mal de ces choses-là en Afrique ou en Asie ou je ne sais plus trop où, ils étaient en cheville avec des organisations alternatives et politiquement pas très claires qui soutenaient divers émeutiers embusqués à droite à gauche.

Non ?

Ben si. Ils avaient des liens aussi avec des associations qui s'occupaient des sans-abri et des mal-logés. Alors ils ont commencé à piquer des objets plus volumineux, des fauteuils de handicapés, des berceaux transparents pour les nouveau-nés, puis ils se sont attaqués aux lits et aux armoires métalliques. C'était un truc genre Robin des Bois. Redistribution des richesses. Ils ont fini par se faire choper.

Non ?

Ç'a failli leur coûter bonbon. Mais ils avaient deux trois appuis stratégiques, des soutiens politiques, et ils s'en sont sortis sans trop de casse. Cela dit, ajoute-t-il après une seconde de réflexion, ça ne les a pas calmés pour autant.

Je n'en reviens pas, émet Lancelot en fixant la surface de la rivière.

C'est une remarque qu'il fait plus à lui-même qu'à son interlocuteur mais celui-ci se tourne vers lui et lance :

Je ne comprends pas bien. Elle ne vous parlait pas ? Elle ne vous racontait rien ? Elle ne vous faisait pas confiance ?

Je pensais que si.

Lancelot sombre dans un silence profond. Il se sent triste et abandonné. C'est de ça qu'il avait toujours eu peur. Qu'Irina l'abandonne. Lancelot soupire :

Je crois que je vais vendre la maison et retourner en ville. Je me vois mal rester dans ce coin tout seul.

Sa considération n'a pas l'air d'intéresser le père d'Irina qui ne se donne même pas la peine de hocher la tête ou d'émettre un grognement. Alors Lancelot dit, J'y vais, et il se met en marche pour remonter la pente, l'autre ne prononce rien, ne le salue pas, peut-être pense-t-il qu'un homme qui connaissait aussi peu sa fille n'est pas un interlocuteur digne de ce nom, Lancelot se sent toujours aussi triste mais en colère également, il se dit, Famille de cinglés, putain de famille de cinglés. Il gravit la pente et regagne le bas-côté de la route. Il reprend son souffle, les deux mains sur les genoux, il serre les dents puis se précipite dans sa voiture pour se calfeutrer et pouvoir pleurer en paix avec le chauffage.

15

Irina serait une luciole. Une luciole grillée. Un faible bruit de cuisson et la lumière s'éteindrait.

Que reste-t-il donc d'Irina dans sa petite boîte en métal ?

16

Lancelot a le sentiment parfois d'être un dinosaure. Il lui semble avoir autant de grâce et d'intelligence que ces grosses bestioles-là. En outre il est convaincu de vivre selon un système archaïque qui n'est plus en vigueur depuis quelques millions d'années.

Par exemple, pour Lancelot, les mots ont du sens.

Il croit aux serments, il tient ses promesses, il fait des vœux à chaque fois qu'il mange une cerise pour la première fois de l'année – il a pensé ne jamais pouvoir quitter Elisabeth parce qu'il était marié avec elle, il lui a fallu rencontrer quelqu'un comme Irina (qui pouvait vous faire renoncer à pas mal de vos certitudes) pour remettre en question cet état de fait.

Il est fort possible que Lancelot accorde trop d'importance aux paroles. Il prend tout au pied de la lettre.

Dès qu'il rentre chez lui, après sa minable rencontre avec le père d'Irina, il appelle l'agence immobilière et met en vente sa maison. La femme qui s'occupe de l'agence s'appelle Marie Marie, ce qui plonge Lancelot dans la stupeur. Puis il se souvient de la raison pour laquelle il s'appelle Lancelot – sa mère avait lu une fresque médiévale quand elle était enceinte. Alors il se sent solidaire de Marie Marie et de son nom bégayant.

Quand Marie Marie débarque dans la maison de Lancelot, celui-ci lui prépare un thé et se surprend à la trouver jolie – cette pensée le précipite dans l'affliction, il reprend deux gélules bleues, il se dit, Mon Irina, mon trésor, mon petit cul. Marie Marie porte un tailleur rose, elle a enfilé des talons roses sur le seuil, elle a laissé ses croquenots pleins de neige à l'extérieur et elle était toujours perchée sur un pied comme un flamant sautillant quand il lui a ouvert la porte, elle lui a fait un sourire désolé et Lancelot s'est dit, Elle est charmante (Lancelot aime bien les filles en détresse, les filles émouvantes, les filles jolies mais un peu ridicules, il aime bien les filles gentiment vulgaires et clinquantes, il leur est extrêmement reconnaissant des efforts de séduction qu'elles déploient).

Lancelot pense à sa mère qui était toujours seule et trop maquillée, il gémit silencieusement à l'idée que cette Marie Marie lui fait penser à sa mère, il se dit, Je suis un crétin de sentimental, mais Lancelot ne peut s'empêcher de superposer le visage de sa mère à celui de la femme de l'agence.

Elle prend un air embarrassé qu'elle croit approprié quand elle pénètre dans le salon. Son tailleur rose n'est pas du tout convenable. Elle est au courant de la mort d'Irina, elle voudrait sembler affectée mais l'efficacité de son air modeste est contredite par ses atours, c'est comme une discordance avec ce tailleur rose, elle doit s'en vouloir de l'avoir choisi ce matin, elle n'avait certainement plus rien de propre, ou alors elle n'avait pas dormi chez elle et pas eu le temps de passer se changer, alors la voilà qui débarque chez un homme endeuillé habillée en pivoine géante.

Lancelot se rend compte que ce sont peut-être ses pilules du bonheur qui affublent Miss Marie Marie de tout son attirail rose. Ce n'est peut-être qu'une pauvre fille que la chimie transforme en bombe.

Lancelot se demande, Est-elle vraiment telle que je la vois là, n'est-ce pas mon chagrin qui m'aveugle ? Il se dit, N'y a-t-il pas tout derrière cette fragrance écœurante qu'elle dégage l'odeur âcre et douceâtre et répugnante d'un potiron ? N'est-ce pas une sorcière qui vient de pénétrer chez moi, qui a posé son balai en fagots avec ses bottes en caoutchouc à l'entrée, et qui se fait passer, dans ses atours rose bonbec, pour une agente immobilière ? S'adonne-t-elle à la magie noire et essaie-t-elle de m'endormir avec sa trivialité et sa maladresse ?

Il réalise qu'elle lui sourit et que ce sourire plane trop longtemps sur son visage, elle le trouve séduisant, Lancelot n'en revient pas, il n'en est jamais revenu, il a depuis toujours eu tellement de mal à se percevoir comme un homme séduisant, Irina lui disait, Tu es bel homme, tu le sais n'est-ce pas ? et elle semblait toujours se demander s'il niait ses attraits par coquetterie ou par méconnaissance de ses propres pouvoir et charme. Elle le scrutait d'un œil soupçonneux et avec une ride au front qui signifiait « Ne me raconte pas d'histoires ».

Je connaissais votre femme, dit Miss Marie Marie. Elle passait nous dire bonjour à l'agence (Lancelot, qui s'est assis face à elle, la regarde, embusqué derrière sa tasse de thé)… jusqu'à il y a un mois, elle cherchait encore une maison pour vous deux, elle venait, elle regardait les plans, elle visitait.

Lancelot ne veut pas avoir l'air d'un mari qui n'est pas au courant des activités immobilières de sa femme, il fait un sourire qui lui plisse les yeux, on dirait le chat dans Alice, il ne lui manque plus que des rayures, il se dit, J'en ai marre, je n'y comprends rien, ça me fatigue. Puis il se reprend et répond :

J'aimerais bien voir la dernière maison qu'elle a visitée.

Ooooh (une sorte de cri de musaraigne appâtée), bien entendu monsieur Rubinstein (elle doit faire partie de ces gens qui pensent que Rubinstein c'est juif et que les Juifs sont riches), dès que je rentre à l'agence je vérifie les disponibilités et je vous y emmène… (Lancelot la trouve de moins en moins gracieuse… c'est souvent comme ça… il est charmé par leur air de petite vendeuse d'allumettes et puis après il les découvre âpres au gain et aguicheuses.)

Elle se lève, demande la permission de prendre quelques photos, visite les pièces, réinstalle quelques lampes, lui fait signer des papiers dans la case « le vendeur », elle demande le plus délicatement du monde si la maison lui appartient en propre, ce qu'il confirme, elle pépie, parle de « micromarchés » et de taux d'intérêt, Lancelot la suit, il n'a aucune envie de la laisser seule dans les pièces, il veut juste maintenant qu'elle déguerpisse, il s'aperçoit que le parfum sucré qu'elle dégage et qui distance l'odeur sale de potiron est une odeur de framboise, il se dit que ça doit être son bain moussant, il se dit, Il faut que j'aère quand elle sera sortie, il se dit, Je ne pourrais jamais coucher avec une fille qui se lave avec une saloperie à la framboise, puis il se reprend, De toute façon il n'est pas question de coucher avec elle.

Il se dit, Je ne me reconnais pas.

Quand elle est enfin partie, il allume des bougies anti-tabac, il fait sombre, il va de nouveau neiger, il sent le froid qui assiège la maison, il met la main à plat sur les murs qui paraissent poreux et humides, il se dit qu'il n'a rien à faire d'autre que d'attendre que la nuit tombe, en général il écrit des articles pour le journal local et il relit leurs épreuves, il le fait là-bas sur place, dans leurs bureaux nicotinés dégueulasses, mais présentement, Lancelot n'a rien à faire, il se met à la fenêtre, il croise les bras, il regarde au loin les phares des voitures en surplomb qui balaient l'obscurité grandissante, il se dit, Mais il reste combien d'heures de jour ? j'ai l'impression que la nuit gagne du terrain quotidiennement, il pense à Irina, à ses épaules, ses seins et son cul, c'est très douloureux, ça pince et ça coince, c'est comme un ligament du genou qui se rappelle à vous à chaque pas et qui vous oblige à plier, Lancelot se dit, J'espère qu'elle ne simulait pas, un venin lent et non mortel se répand dans ses veines et irrigue ses organes, Lancelot adorait baiser avec Irina, il lui semblait ne jamais l'avoir fait avant de la rencontrer, C'est effarant que ça existe, se disait-il, et que j'en aie jusque-là tout ignoré. Avant Irina, il avait eu, de la chose, une connaissance floue et de deuxième main, il avait très bien vécu sans d'ailleurs, il s'en était accommodé, ça ne le turlupinait pas le moins du monde, il se fichait de ne pas se servir de sa bite régulièrement, ça ne remettait rien en question parce qu'il n'y pensait pas, c'était comme s'il avait mis le sexe et tout ce qu'il véhicule dans une boîte bien hermétique et qu'il avait entreposé cette boîte au freezer sans plus s'en préoccuper. C'était décidément très confortable. Quand il avait rencontré Irina il s'était rendu compte que ce n'était pas possible d'oublier une partie de soi de cette façon. Ce n'est pas normal, lui avait-elle dit.

Et là devant la fenêtre, à attendre que la neige recommence à tomber, Lancelot se dit qu'il a envie de mourir tellement elle lui manque. Ça le prend au plexus. C'est comme un coup de poing ou une balle dum-dum, ça lui explose le sternum. Ça va être difficile, prononce-t-il prudemment (sa voix résonne bizarrement comme si elle rebondissait sur quelque chose de mou) et il avale deux gélules supplémentaires. La profondeur du silence, celui qui précède toujours une chute de neige importante, lui sape les jambes et les lui écrase comme sous une meule. Il se dit que ça doit ressembler à ça le silence, le froid et l'obscurité du cosmos. Puis il ricane.

Il attend que le téléphone sonne.

Le téléphone se met à sonner – Lancelot commence à avoir une connaissance des choses qui lui échappe, il lui semble être en mesure de prévoir certains menus événements.

Lancelot s'éloigne de la fenêtre et décroche.

Monsieur Rubinstein ? stridule le machin rose de l'agence immobilière (Lancelot, juste avant de décrocher, aurait pu parier sa maison que c'était le machin rose de l'agence qui l'appelait).

Oui.

À propos de la maison que votre femme (courte pause censée exprimer l'affliction) avait visitée, je peux vous y emmener dès demain (le ton redevient guilleret).

Bonne nouvelle.

J'ai vérifié. Je n'ai pas eu besoin de prendre rendez-vous, nous avons les clés, et elle n'est plus habitée depuis un moment…

Ah.

Je passe vous prendre vers treize heures ? (Sa voix ressemble à des clochettes qu'on agiterait pour éloigner les esprits.)

Treize heures.

Très bien, à demain monsieur Rubinstein (ou bien alors cette voix pourrait s'apparenter au tintement que produit une vingtaine de bracelets en or s'entrechoquant au poignet d'une femme).

À demain.

Oui oui, à demain treize heures (elle répète le rendez-vous clairement, elle est professionnelle).

Lancelot raccroche délicatement, grimaçant, ne voulant saccager plus encore l'incroyable silence qui règne autour de lui, retenant sa respiration et tendant l'oreille, il se dit, Ma vie vole en morceaux. Il pense au matin de la mort d'Irina, c'était un mardi, il s'était réveillé auprès d'elle et son corps était chaud, comme empli de sommeil encore, il se dégageait d'elle une odeur salée et douce, une odeur de sable chaud, elle lui tournait le dos et il avait mis la main sur sa hanche et elle s'était tournée vers lui et l'avait embrassé, elle lui avait souri et lui avait dit, Bonjour, et Lancelot cherche un indice, quelque chose qui aurait pu lui laisser entrevoir que cette journée serait le début de son grand malheur, qu'il entrait là dès ce petit matin dans une période noire, quelque chose qui aurait pu changer le cours de l'histoire, Lancelot se dit, J'ai commencé ma journée en lui caressant la peau, et il se rend compte que ça ne colle pas avec ce qui s'est passé par la suite, elle a fini ce funeste mardi au fond d'une voiture inconnue dans la rivière, et ça ne colle pas.

Lancelot se poste de nouveau devant la fenêtre du salon, il écarte le rideau, il va rester ainsi pendant plusieurs heures, il va même peut-être réussir à se tenir debout, le regard perdu dans le ciel qui fourmille de microscopiques flocons gris, jusqu'au lendemain treize heures.

17

Lancelot, de sa vie, n'a pu voir qu'une seule photo d'Irina quand elle était enfant. Elle traînait dans une enveloppe jaunie au milieu de ses déclarations d'impôts. Irina y portait de grandes lunettes rondes, une queue-de-cheval et un Jésus doré autour du cou. Elle souriait à l'objectif en exhibant sa dentition partielle. Elle était photographiée en pied. On voyait ses bottes en caoutchouc qui lui mangeaient les mollets, un ventre rond sortait de son débardeur et son short vert remontait dans l'entrecuisse, ce qui lui donnait l'allure d'une communiante triste, d'une petite fille violée ou d'une cousine s'accommodant d'un handicap léger. Elle arborait des épaules rondes et bronzées. Et c'est ce qu'on n'arrivait pas à quitter des yeux. Ses épaules rondes et bronzées. Elles entraient en conflit avec le reste de sa personne. Une sorte de lutte de pouvoir. Sur l'image, Irina montrait au photographe le livre qu'elle lisait, une bande dessinée vraisemblablement, mais l'éclair du flash en avait définitivement blanchi les pages.

18

Ils sont dans la voiture de Marie Marie – une Ford Taurus bleue avec des gaufrettes écrasées sur le tapis côté passager, une odeur de chien mort à l'arrière, un rehausseur usé, mousse qui dégouline des accoudoirs, Barbra Streisand en fond sonore. Marie Marie conduit en pépiant, elle porte un rouge à lèvres rose clair souligné par un trait de crayon rose plus foncé, du coup on dirait qu'elle a une moustache, elle bat des cils et plisse les yeux, ce qui inquiète Lancelot, Elle est complètement myope, elle va nous foutre dans le décor, mais il se renfonce dans son fauteuil et pense, Ça vaudrait sans doute mieux.

Quand ils sont passés devant l'endroit où aurait dû se trouver la maison, elle a freiné, vérifié l'adresse et dit, Je comprends pas, ç'aurait dû être là. Lancelot lui a souri (c'est son premier sourire depuis longtemps), elle ressemble à une fillette de quatre ans qui a mis trop d'eau dans son verre de grenadine et qui le regarde déborder sans arriver à stopper l'inondation.

Elle murmure, Mon Dieu mon Dieu mon Dieu. Puis s'exclame, Je crois que la maison n'existe plus. Elle a l'air de paniquer, ils viennent d'avaler cinquante kilomètres pour voir une maison qui n'existe plus. Et c'est peut-être ce temps perdu à ne pas faire quelque chose de plus lucratif ou bien la stupeur de mettre le doigt dans une affaire qui lui échappe qui plonge Miss Machin Rose dans la consternation. Elle prononce, Douxjésusdouxjésusdouxjésus. Lancelot la regarde et se dit, En fait si elle n'avait pas aimé autant le rose elle aurait été nonne. Il aperçoit son annulaire, elle porte une alliance, il hoche la tête, Elle est nonne. Puis il propose, On jette un coup d'œil ? Elle se gare sur le bas-côté mais refuse de sortir de la voiture, Lancelot s'extirpe de son siège, pose ses deux pieds dans la neige et s'avance vers les barrières qui entourent ce qui était jadis une maison bourgeoise et qui n'est dorénavant qu'un grand cratère. Le quartier est calme et résidentiel, des gens promènent leur chien (Mais, remarque Lancelot, pas sur ce trottoir), d'autres se pressent, emmitouflés dans leur manteau comme dans un peignoir au sortir de la douche, encravatés, inappropriés, chaussés de souliers fragiles mais chic avec semelles papier à cigarette, serrant contre leur poitrine dans leurs mains gantées un attaché-case incapable de barrer la progression du froid qui leur glace le sang, pestant intérieurement contre la bise avec des mots choisis, et marchant à petits pas pressés comme de vieilles cousines veuves qui craignent pour leur col du fémur. Lancelot lorgne par-dessus la barrière, la maison semble avoir été soufflée, ou alors elle s'est écroulée comme s'écroulent les tours dégradées des cités que l'on dynamite. On les filme afin de s'extasier devant le miracle des tours voisines en cours de dégradation qui restent debout imperturbables et on les remplace par d'autres tours dégradables. Lancelot pense à ces images qu'on se délecte à regarder – particulièrement, disait Irina, si l'on est un homme. Irina avait une théorie sur la question. Elle répétait, Sur la plage, les petites filles décorent les châteaux de sable avec des coquillages et les petits garçons les piétinent (Lancelot se demandait toujours, Mais rappelez-moi donc qui les construit ?).

Il ne reste rien de la maison, juste une excavation qui pourrait laisser imaginer qu'une météorite a atterri là après son périple spatial avant de se désintégrer totalement. Lancelot s'interroge sur ce qu'est devenu tout ce qui était dans la maison, les choses peuvent-elles se volatiliser ainsi ? N'y a-t-il pas une histoire de matière qui ne disparaît jamais mais se transforme toujours ?

Lancelot retourne à la voiture, il ouvre la portière, Miss Marie Marie est au téléphone, elle raconte à l'un de ses collègues que la maison s'est volatilisée, elle parle avec un certain ravissement comme si elle annonçait un scoop, une nouvelle liaison ou un cancer généralisé chez une star du show-biz. Elle dit, Ils ont fait sauter la baraque, elle ricane et répète, Ils ont fait sauter la baraque. Quand elle raccroche, Lancelot lui demande, À qui appartenait la maison ? Comme il est toujours debout dans l'encadrement de la portière, elle fait mine de frissonner, elle glapit, Fermez ça. Lancelot ne bouge pas et répète, À qui appartenait cette maison ? Elle a une seconde d'hésitation, elle fronce les sourcils, semblant évaluer la situation, elle finit par se pencher vers son dossier qui traîne par terre dans les gaufrettes, grommelant, Je vais attraper la crève, consultant des papiers en vrac. Lancelot, à côté d'elle, est sidéré par son manque d'organisation, il goûte à la volupté de l'emmerder en laissant la porte ouverte et un peu de neige poudreuse se déposer sur le mimine gris du siège, texture moisissure.

Il a très envie qu'elle se penche vers lui. Il a très envie de lui refermer la porte sur le cou. Lui briser son cou de caille avec la portière. Lancelot voit déjà quelque chose de sanguinolent et velouté goutter sur la neige, et y être absorbé, il sait à quoi ressemblerait sa peau en cessant d'être irriguée, il sait à quoi ressembleraient ses yeux en cessant d'être vivants, il veut voir sa langue sortir de ses lèvres et bleuir, il jetterait son corps démantibulé sur le trottoir et il lui piquerait sa voiture, il laisserait les deux morceaux de Miss Bonbon Rose se vider par tous leurs orifices et souiller la neige devant la maison absente et il prendrait la fuite en appréciant toute la mesure de son premier meurtre (et en faisant un vœu, bien entendu)...

Le propriétaire est un monsieur Romero... finit par exhumer Marie Marie de son tas de feuilles cornées.

Et que fait-il ? demande Lancelot qui reprend pied après sa projection sanglante.

Dans la vie ?

Dans la vie.

Je ne sais pas. Je n'ai pas sa profession là-dessus (elle agite le papier entre deux doigts avec un brin de dégoût).

Vous pouvez vous renseigner ?

Pourquoi ?

Vous pouvez vous renseigner ? (Lancelot lui adresse son sourire le plus charmant, quelque chose qui dit, J'ai perdu ma femme, je me sens terriblement seul, soyez gentille et vous aurez votre place au paradis.)

Oui (elle est réticente alors elle ajoute, pour que Lancelot mesure bien l'effort qu'elle va produire :)

Je ne suis pas censée vous donner ce genre d'information...

La situation est assez exceptionnelle, me semble-t-il (Lancelot se rend compte qu'il a probablement l'air menaçant).

Elle redépose son dossier au milieu des gaufrettes.

On y va ? fait-elle, mécontente.

Lancelot ne répond pas mais s'assoit près d'elle dans un nuage de neige et de miettes tandis qu'elle démarre.

C'est amusant cette maison qui a disparu, se dit Lancelot. C'est amusant et étrange. Il tente de se souvenir si un jour Irina lui a parlé d'un Romero. Il sent pointer le pincement familier, il aimerait le refouler mais ça ne marche pas.

Irina connaissait-elle ce type ?

Irina était-elle dans la voiture de ce Romero quand elle est tombée du pont ? (Lancelot le visualise trapu, bedonnant, élégant, en costume noir et chemise immaculée.)

Romero s'est-il extrait de la voiture dans l'eau froide quand elle a sombré dans l'Omoko et a-t-il déguerpi au plus vite pour ne pas qu'on découvre leur liaison qui aurait pu ruiner sa carrière politique ?

Le temps de sortir du quartier pavillonnaire, Lancelot invente en silence une demi-douzaine de scénarios tordus. Marie Marie commence à lui raconter à quoi ressemblait la maison (la serre, la volière), elle lui indique de jeter un œil au dossier, il y a des photos à l'intérieur, sa femme avait adoré, assure-t-elle, elle hésitait juste parce qu'elle disait que c'était peut-être un peu grand (huit chambres) mais ç'avait été un vrai « coup de cœur ». C'est une expression que Marie Marie utilise à plusieurs reprises. Elle dit aussi trois fois, Une habitation tout à fait atypique. Lancelot compulse les photos de la verrière et de la serre, des huit chambres et du lustre du hall d'entrée. Il se demande, Comment Irina arrivait-elle à embobiner les gens à ce point, elle qui passait la moitié de son temps à filmer des ours dans diverses montagnes du monde (et là Lancelot se dit, Si du moins c'était vrai, et ce soupçon ressemble à une injection d'acide sur un organe encore palpitant). Dans le dossier, il y a une chemise barrée au marqueur d'un énorme FICHE CLIENT. Il aimerait la consulter mais elle est fermée par plusieurs trombones. Il se tourne vers Marie Marie, il se sent pressé tout à coup, il y a une petite phrase qui défile dans sa tête (elle serine, *C'est l'étoffe dont on fait les héros*), et cette petite phrase le parasite (*C'est l'étoffe dont on fait les héros*, c'est comme un bout de mélodie du matin qui reste ventousé au cerveau, accompagnant et rythmant tout ce qu'on effectue pendant des heures), il voudrait faire taire la petite phrase (*C'est l'étoffe dont on fait les héros*, c'est étonnant non, cette idée d'un héros comme une poupée de chiffon) alors il prie Marie Marie d'essayer de trouver l'info tout de suite à propos de la profession de monsieur Romero, elle prend son téléphone et appelle l'agence, elle demande ce que fait ce monsieur Romero dans la vie, on lui répond qu'on va la rappeler, elle raccroche et attend en silence avec Lancelot que le téléphone se remette à carillonner. Elle pousse des soupirs en cadence pendant que Lancelot essaie de faire taire la petite phrase à la con qui lui vrille le cerveau *(C'est l'étoffe-toffe-toffe dont on fait les héros-ros-ros)*, il se dit, Ça doit avoir un rapport avec les pilules magiques du docteur Epstein, c'est comme une nouvelle sorte de migraine, votre sang pulse des sentences ridicules qui vous envahissent le cerveau et vous empêchent de réfléchir. Vous pouvez toujours essayer d'écouter la radio, tenter de vous anesthésier en mettant la musique le plus fort possible, vous employer à vous concentrer sur ce que raconte Marie Marie, impossible de faire taire la petite voix crétine qui vous tambourine dans les oreilles.

Le téléphone se met à tinter – *L'Hymne à la joie* au synthétiseur. Marie Marie décroche, elle émet quelques bruits de bouche, se plie derrière le tableau de bord en croyant apercevoir une voiture de flic au croisement, se redresse et raccroche. Elle annonce avec réticence (comme si elle cherchait quoi monnayer contre cette information), Monsieur Romero est le directeur des laboratoires Promedan.

Ah ? fait Lancelot.

Il se demande s'il est déçu. C'est comme s'il vérifiait l'état de ses membres après un attentat à la poubelle piégée. La petite phrase perceuse s'en est allée. Lancelot est soulagé. Il pose son front contre la vitre de sa portière, il lui semble que les faubourgs s'étendent sur des kilomètres de maisons cossues avec grilles et clochettes, pancartes affligeantes, du genre « Attention chat lunatique », et interphones pour ne pas avoir à traverser le jardin par les climats polaires qui sévissent dans ces contrées ou pour éviter les importuns. Il passe au ralenti au milieu de cette blancheur, il imagine que tout est mort là-dedans, il n'y a personne dans les rues, et, dans les cuisines, tout le monde gît à terre, empoisonné, la voiture se traîne à une allure impossible, Lancelot regarde par la fenêtre et sourit. Il pense, Ma princesse, mon trésor, ma doucette, que venais-tu faire dans ce coin du monde ? Le voilà qui s'adresse à sa belle au-delà du crématorium. Il se met à pouffer à côté de Marie Marie qui lui lance un coup d'œil soupçonneux, mais qui ne veut pas avoir l'air stupide et aimerait de fait pouvoir rire avec lui, parce qu'elle serait ainsi sûre que rien ne lui échappe et que Lancelot Rubinstein n'est pas en train de se moquer d'elle.

Il lui dit alors :

J'aimerais que vous vendiez ma maison avant qu'elle ne parte en fumée.

Elle sourit, elle est rassurée, elle pense qu'il veut juste plaisanter avec elle.

Elle dit :

Ne vous inquiétez pas, d'ailleurs j'en avais déjà parlé avec votre femme…

Elle dit :

Désolée.

Elle dit :

Vous pouvez me donner un chewing-gum dans la boîte à gants ?

Il sort le paquet, lit la liste des ingrédients, lui tend le paquet pour lui verser une pastille dans la paume, et fait sans la regarder :

Irina, ma femme, disait qu'il y avait tant de conservateurs dans ce qu'on mangeait qu'on allait avoir du mal à pourrir et se décomposer quand on serait mort…

Ah ? (D'un geste vif elle s'enfile la pastille.)

Nos corps se conserveraient poliment pendant des mois et les asticots attendraient et se désespéreraient…

Elle a été inhumée ?

Et ça modifierait tout l'équilibre alimentaire…

Elle a été inhumée ?

Pourquoi ? Vous voulez qu'on aille voir si elle est décomposée ?

Marie Marie prend un air outré. On dirait qu'elle a avalé une grive encore vivante.

Ne vous inquiétez pas, elle a été incinérée, la rassure Lancelot.

D'ailleurs, depuis qu'il a rapporté l'urne à la maison, Lancelot se turlupine avec cette question. Irina avait-elle demandé à être incinérée ou bien était-ce une idée de Lancelot ? Il se souvient d'avoir discuté de ça avec elle, mais il ne se souvient pas de la conclusion à laquelle ils étaient arrivés, Irina lui avait raconté qu'elle avait emporté un jour dans un taxi les cendres d'un bon ami, qu'elle avait beaucoup trop bu, rapport à son chagrin, et pas un sou, rapport à sa vie d'alors, elle avait donc mis les cendres encore chaudes de son bon ami dans un sac plastique et pas dans une urne, le sac avait fondu dans le taxi et toutes les cendres s'étaient répandues sur la banquette arrière et elle était si désolée et si soûle qu'elle ne savait plus quoi faire, elle avait essayé de les remettre dans le sac mais celui-ci était percé alors elle avait gentiment paniqué au fond du taxi et elle avait fini par disperser les cendres comme elle le pouvait sur le sol et la banquette afin que le chauffeur de taxi ne remarque rien, puis elle était descendue, elle avait payé la course avec ce qui lui restait et elle avait continué à pleurer sur le trottoir, son sac plastique tout effiloché pendouillant au bout de son bras, elle avait regardé le taxi qui tournait au coin de la rue et s'éloignait, emportant les cendres de son bon ami éparpillées sur le tapis de sol.

Marie Marie se tait, elle paraît faire la gueule. Ses boucles d'oreilles dorées en forme de balançoire à perroquet tanguent par à-coups, ce qui donne le mal de mer à Lancelot ; il ne les quitte pas des yeux, hypnotisé.

Il se colle à la portière pour s'éloigner le plus possible d'elle et de son odeur de framboise reconstituée.

Lancelot se dit, Il faut que je quitte cet endroit sinistre, il faut que je retourne vers des terres plus au sud, je ne peux plus supporter cette neige et ce froid.

Il se dit, J'ai de mauvaises pensées.

Il se dit, Il me semble que je rêve de violence et de destruction.

Marie Marie s'arrête dans une station-service. Elle sort de la voiture et Lancelot se jette sur le dossier entre ses jambes, il ouvre la fiche client, il ne baisse pas la tête pour ne pas qu'elle comprenne qu'il est en train de lire. Il dirige simplement ses yeux vers le bas, ce qui lui occasionne une fulgurante douleur migraineuse. Il l'entend qui traficote à l'arrière de la voiture.

Irina a menti sur sa date de naissance. Elle a dit qu'elle était écrivain (elle veut du calme et un jardin), que son mari était professeur d'université en littérature comparée, qu'il avait un fils adolescent d'un précédent lit et qu'il venait de toucher un confortable héritage.

Il perçoit une ombre au-dessus de lui, il referme brusquement le dossier et ramène son blouson par-dessus, Marie Marie le regarde à travers la vitre passager, elle lui fait signe d'ouvrir la fenêtre, Je vais grignoter quelque chose, dit-elle, je vous rapporte un truc ? Il secoue la tête, elle hausse les épaules et elle s'éloigne vers le bâtiment, légèrement courbée, les mains écartées du corps pour garder son équilibre.

Lancelot replonge dans le dossier, il écarquille les yeux, l'écriture de Marie Marie n'est pas toujours lisible mais elle a souligné des mots qui permettent de retracer l'histoire que lui a racontée Irina.

Irina a demandé à visiter des maisons très cossues. Marie Marie lui en a fait visiter trois. Mais il semble qu'au vu de photos qu'on lui a présentées, Irina ait émis le désir express de voir celle de M. Romero. Dans la marge, Marie Marie a noté : absent (voyage d'affaires Afrique, retour sous deux mois).

Au-dessous, elle a ajouté de son écriture irrégulière : Conquise. Demande une seconde visite.

Puis en capitales : DÉCÉDÉE. Contacter mari pour condoléances.

Lancelot referme le dossier, il le repose entre ses pieds sur les sédiments du tapis, il aperçoit Marie Marie qui revient vers lui, traversant le tarmac de la station-service, elle lui paraît minuscule et fragile, il craint qu'elle ne se fasse renverser par un chauffard qui partirait sans payer.

Elle ouvre sa portière et se rassoit, elle souffle très fort, démarre et rejoint la nationale, elle a l'air congelée, Lancelot la regarde un moment puis lui propose d'aller boire un verre pour se remettre de leurs émotions, elle lui jette un coup d'œil, soupçonneuse, il lui sourit, elle hausse de nouveau les épaules, Si vous voulez, dit-elle.

19

Ils font quelques kilomètres silencieux et Lancelot finit par apercevoir une enseigne lumineuse en forme de pagode qui clignote lugubrement le long de la nationale. Les réverbères s'allument sur le bas-côté, Lancelot fait signe à Marie Marie de s'arrêter dans le parking désert. Elle s'exécute, maussade.

Ils pénètrent dans le restaurant. Une odeur de désinfectant mêlée aux relents d'une cuisine trop épicée les accueille dans la grande salle plongée dans une semi-obscurité. La salle doit pouvoir recevoir plusieurs centaines de personnes, pour des mariages, des séminaires, des réunions sectaires avec gourous munis de micro et haranguant les foules pour leur promettre un avenir meilleur, des réductions d'impôts et une plus grande confiance en soi. La salle est vide. Il y a juste un immense aquarium verdâtre avec des algues duveteuses et des poissons blancs. Ils sont nombreux et albinos, ils nagent lentement dans cette lumière de morgue, effectuant docilement des allers et retours mélancoliques entre les extrémités de leur bocal dévoré par la moisissure.

Lancelot et Marie Marie prennent place près de la porte, comme pour se ménager une sortie rapide en cas d'urgence.

Un serveur surgit du fond de la salle. Il n'a pas l'air surpris de voir débarquer Lancelot et Marie Marie, on pourrait croire que ça lui arrive tous les jours, deux personnes esseulées qui bravent la tempête de neige et viennent se réchauffer dans son restaurant. Il leur présente la carte avec une pompe lente de majordome, Lancelot prend juste un thé et Marie Marie un Martini rouge. Le serveur repart silencieusement comme s'il avançait sur des coussins d'air. Il n'a pas prononcé un mot. Lancelot se tourne vers Marie Marie, son regard faiblement buté le soulage, elle a conservé un air innocent de fillette, une sorte de crédulité tranquille mêlée à une céleste stupidité.

J'aimerais me trouver une maison qui aurait plu à ma femme, commence-t-il.

Elle hoche la tête, compréhensive, et attend simplement son verre pour se mettre à raconter combien Irina avait aimé la demeure qui a disparu. Elle voulait une maison avec une cave, lui dit-elle, rapport à leur fils pour qu'il puisse faire « sa » musique. Marie Marie semble, en l'évoquant tout à coup, se souvenir de cette histoire de beau-fils et culpabiliser légèrement de ne pas avoir demandé plus tôt des nouvelles de l'adolescent, ça lui fait un léger choc de se rappeler l'existence de ce gamin, elle a l'air de paniquer accrochée à son verre de Martini rouge, ses yeux se voilent, elle demande comment celui-ci supporte le décès de sa belle-mère, elle essaie d'expliquer qu'elle connaît un adolescent elle aussi qui a perdu son père et qui a failli mal tourner mais qui s'est finalement enrôlé, il est parti au Moyen-Orient, il est revenu avec le paludisme et une Israélienne qui porte un drôle de prénom, du genre Alona ou Aloua, mais bon, elle n'a pas pu s'habituer à nos climats si rudes et à notre façon de manger, elle était née à Tel-Aviv, vous imaginez, ils ont fini par retourner là-bas, vivre dans un kibboutz, il paraît que ça existe encore, c'est dingue non que ça existe encore, mais bon, Marie Marie s'embourbe, elle ne sait plus comment retrouver le fil de la vie de Lancelot, c'est une autre histoire, fait-elle, votre fils, lui, au moins il a la musique, Lancelot, qui n'a pas du tout à se forcer pour parler de son fils imaginaire, dit que le gamin est parti retrouver sa mère quelque temps, celle-ci habite à Camerone, elle a refait sa vie avec un vendeur de télés, Marie Marie hoche la tête, elle voit de quoi il parle, Lancelot prend un air concerné, il fronce les sourcils, ses épaules s'affaissent sensiblement, il dit, Oui oui Irina voulait que le gamin ait un studio pour ses répétitions, Marie Marie hoche vigoureusement la tête, elle siffle son Martini, elle dit, Votre femme m'avait demandé les plans du sous-sol pour les montrer à votre architecte, elle avait passé un temps fou dans la cave à étudier les diverses possibilités d'aménagement. Quand elle paraît avoir épuisé le sujet, Lancelot lui sourit, s'adosse à son siège et attend qu'elle écluse son second verre de Martini. Il s'interroge sur ce que va donner au volant l'alcool doublé de la myopie.

Vous pouvez me déposer à l'hôtel du Centre ? demande-t-il. Elle acquiesce, soulagée apparemment par cette question pratique, ils se lèvent et sortent dans le froid qui rétrécit les paupières et attaque les sinus mais ne semble pas le moins du monde incommoder Marie Marie. Ils reprennent la voiture. Lancelot veut parler tout de suite au père d'Irina, il ressent le besoin de voir les photos d'Irina enfant que celui-ci dit conserver toujours par-devers lui, il désire encore entendre parler de sa douce, il veut aller retrouver cet homme puis se rendre au commissariat pour leur expliquer la situation, il imagine que, s'il est lui-même plus transparent, ils lui parleront avec moins de réticence de ce qu'ils ont découvert.

Quand Marie Marie le dépose devant l'hôtel du Centre, en lui souriant et en plissant les yeux d'une manière étrange (comme si elle voulait cacher l'intensité de son regard parce qu'il contredit le sourire qu'elle affiche), Lancelot se répète, à cause du froid qui lui perce les poumons, Faut que je m'en aille d'ici. La lumière décline, Nous entrons dans une ère de nuit et de gel, se dit Lancelot. Il court vers le seuil de l'hôtel. Il pénètre dans la chaleur sèche et poussiéreuse (les acariens envahissent sa trachée), la moquette a l'air si vieille et synthétique que Lancelot s'étonne de ne pas produire des étincelles d'électricité statique quand il avance vers l'accueil, elle est couleur novembre et les murs lui sont assortis. Il demande à voir son beau-père, chambre 12. La créature mi-lamantin mi-lézard qui occupe tout l'espace derrière le comptoir ouvre le registre, secoue la tête et annonce qu'il est parti la veille au soir.

Lancelot soupire et dit, Évidemment.

Il se penche au-dessus du comptoir pour voir sous quel nom le père d'Irina s'est inscrit, et il voit, noté de l'écriture ronde et appliquée de la fille, le nom qu'a donné son présumé beau-père pour pouvoir prendre une chambre : Paco Picasso.

20

La collègue du lamantin, qui venait de terminer son service, a bien voulu déposer Lancelot devant chez lui. Il n'y avait plus de navette, pas de voisin à appeler à la rescousse, pas de taxi disponible avant deux heures, elles avaient eu un peu pitié de lui, elles devaient savoir, tout le monde savait à Catano, qu'il avait été marié avec Irina, qu'il était veuf et inconsolable, peut-être connaissaient-elles Irina mieux que Lancelot lui-même, il était même possible qu'Irina eût passé une partie de ses après-midi à l'hôtel du Centre avec de drôles de types aux noms ridicules. En tout état de cause, il avait réussi à se faire ramener sans avoir à trop insister. Elles s'étaient montrées compréhensives et discrètes. Parfaites. Quand elle le dépose devant chez lui, Lancelot attend que la fille démarre et il lui fait signe de la main.

Il voit les phares s'éloigner.

Il se dit, Il faut que je reprenne deux cachets.

Et il faut que je rentre très vite avant de geler sur place et de devenir cinglé. Il donnerait à peu près n'importe quoi pour retrouver Irina et vivre avec elle dans une maison avec un patio et des ruelles alentour qui toutes se dirigeraient vers la mer, ils mangeraient du poisson grillé et des poivrons à l'huile d'olive, il ne lui poserait jamais de questions et ils vivraient cent vingt ans.

Lancelot ouvre la porte de sa maison, n'allume aucune lumière, s'affale dans son fauteuil et écoute le message qui clignote rouge dans l'obscurité du salon. Ça dit de rappeler l'inspecteur Schneider. Il vérifie l'heure qu'il est et il tente sa chance. L'inspecteur est bien encore à son bureau, elle décroche et lui explique tout de suite de quoi il retourne. Irina n'est effectivement pas morte noyée mais empoisonnée à l'anhydride d'ammoniaque (C'est quoi ce truc ?). Les résultats des analyses sont arrivés à l'instant sur son bureau (Et pourquoi l'a-t-on incinérée avant d'avoir obtenu les résultats ? N'est-ce pas un peu négligent ? Je ne sais pas si je ne vais pas vous attaquer en justice, madame Schneider). L'anhydride d'ammoniaque agit lentement, on administre à la victime (ou la victime s'administre elle-même) de menues doses quotidiennes de poison pendant plusieurs mois sans qu'il puisse y avoir le moindre soupçon. Il n'y a aucun effet visible tant que la dose maximale absorbable par le corps n'a pas été dépassée. À ce moment-là seulement, le cœur flanche. C'est comme une petite implosion cardiaque. Et clac, plus personne, fait l'inspecteur Schneider avec sa délicatesse coutumière. Lancelot murmure, Oui oui bien sûr. Il se dit que l'inspecteur décidément le surestime. Elle ajoute, Ça ressemble un peu au pananoval. Il marmonne, il ne voit pas de quoi elle parle. L'inspecteur soupire comme si les explications qu'elle devait donner la fatiguaient. Elle tient surtout à ce que son interlocuteur mesure l'étendue de son savoir et de sa patience. Elle précise donc, C'était un poison qu'on administrait aux prisonniers politiques en Argentine aux grandes heures de la dictature. Impossible de le déceler. Les types à dégager sombraient dans l'inconscience et, juste avant la crise cardiaque finale, on les balançait à l'eau. Ils mouraient noyés. Elle toussote. Malin et imparable, conclut-elle.

Et de but en blanc elle l'interroge, Vous connaissez un certain Kurt Bayer ?

Lancelot se sent alors très las, il devine ce qu'elle va maintenant lui révéler, il voudrait juste s'asseoir et s'endormir assis, et au lieu de lui répondre à propos de ce Kurt Bayer, il demande à l'inspecteur Schneider pourquoi Irina est morte et si elle le suspecte lui Lancelot de l'avoir tuée. L'inspecteur Schneider hésite, semble mâchonner quelque chose puis rétorque, Vous n'avez pas répondu à ma question, monsieur Rubinstein. Alors Lancelot soupire et s'enquiert, Qui est Kurt Bayer ? L'inspecteur Schneider reprend son ton habituel, un peu brusque comme celui d'une institutrice qui redouterait de se laisser amadouer, elle dit, C'est le propriétaire de la voiture dans laquelle a été retrouvée votre épouse. Puis sans prendre de respiration, et cette femme a le souffle qui siffle parce que ses poumons n'en peuvent plus d'être compressés entre ses autres organes enflés, elle ajoute, Pourriez-vous passer demain matin première heure à mon bureau ? J'aimerais discuter de quelques points avec vous. Lancelot secoue la tête, tout seul dans l'obscurité de son salon, debout près du guéridon où reposent le téléphone et le bloc de papier rose en forme de cœur qui servait à Irina à noter des messages. Quel genre de points ? interroge-t-il. Des choses en relation avec le travail de votre femme, répond l'inspecteur. Mmmh, mmmh, fait Lancelot. Très bien, je passerai demain matin. Et il raccroche délicatement.

L'inspecteur demain lui posera des questions auxquelles il ne saura pas répondre. Ils en sont finalement à peu près au même point. Il reste quelques instants un peu sonné à se rendre compte qu'il n'a prévenu personne de la disparition d'Irina (et qu'il n'a personne à appeler), qu'il n'aurait pu trouver les coordonnées de tous ses contacts professionnels et même des gens qu'elle devait soi-disant rejoindre en prenant l'avion ce soir funeste qu'à l'intérieur de son portable (qui avait fini sa vie de portable dans l'eau glacée sous le pont d'Omoko). Voilà Lancelot abasourdi par la méconnaissance qu'il avait d'elle. Lancelot se dit que ce qui est troublant avec les pilules bleues du docteur Epstein, c'est qu'elles sont supposées l'éloigner de pulsions suicidaires inconsidérées (Des idées noires, comme dit pudiquement le docteur Epstein) mais qu'en fait elles le laissent dans un état de désespoir léger qui pourrait le conduire à peser raisonnablement le pour et le contre entre un flingue avec des balles rouillées pour que ça s'infecte et une bonne vieille corde d'alpiniste nouée à la tringle à rideaux. Lancelot se dit qu'il complique tout. Les pilules bleues, censées l'épargner, lui procurent un grand calme qui lui donne envie de mourir. Elles produisent un désir formidable de non-existence. Lancelot réfléchit et se rend compte qu'elles sont aussi relaxantes et dangereuses qu'un bain brûlant pris dans l'obscurité.

21

Quand Lancelot était enfant, sa mère lui racontait que son père avait une femme (Une mégère) et une petite fille de deux ans son aînée (Cynthia). Elle lui disait qu'un jour il pourrait revendiquer le fait d'être le fils de cet homme, que l'appartement de trois cents mètres carrés de celui-ci lui appartiendrait en partie ainsi que la moitié du couple de chevaux arabes en pension dans un haras à quelques centaines de kilomètres de l'appartement en question, elle ajoutait qu'il pourrait faire main basse sur le hors-bord (Ce n'est pas un sport de fille) et qu'il lui suffirait de produire une analyse d'ADN comme il est de rigueur pour les princes et princesses bâtards afin que la vérité éclatât à la face du monde.

À ces mots, elle écartait les bras et ses yeux se révulsaient, Lancelot croyait alors voir apparaître un message d'erreur, avec le bruit du carillon caractéristique, disant, Vous avez quitté inopinément le programme. Veuillez contacter votre revendeur si le problème persiste.

Elle s'affaissait sur le canapé et regardait autour d'elle comme si elle se réveillait d'un long sommeil de pierre et qu'elle découvrait brutalement l'état du sofa et du tapis.

À cause de cette histoire, Lancelot, qui aimait en secret les romans-photos et les films espagnols larmoyants, s'était imaginé, quand il l'avait rencontrée, qu'Irina aurait très bien pu être sa sœur. Il se sentait si proche d'elle qu'il se laissait aller à ses travers adolescents, ses désirs de fusion, on est amis pour la vie, on a dit la même chose au même moment, c'est un signe, tu es ma sœur choisie, mon frère choisi, partons à l'aventure.

Il n'arrivait à formuler en son for intérieur son amour pour Irina qu'en ces termes : Si j'avais été une femme, j'aurais aimé être comme elle. Ce qui était somme toute une façon un peu trouble de voir les choses.

Assez vite, il avait compris que son scénario ne tenait pas debout, les rares fois où elle avait évoqué ses parents, le cocon poisseux d'où elle venait n'avait rien à voir avec la famille du père de Lancelot, ses frasques vérolées d'ennui et ses garden-parties.

Lancelot savait qu'il était tout particulièrement attiré par les pauvres petites filles malheureuses à l'enfance en morceaux, et que ç'avait à voir avec sa propre mère. Ce genre de déterminisme le plongeait dans un grand désarroi. Il se disait, Je suis aimanté par les jolies filles brisées. Et il ressentait un mélange de fierté et de dégoût qui le laissait pantelant – comme lorsqu'on sauve quelqu'un de la noyade et qu'on lui vole son portefeuille en le ramenant sur la berge.

Il avait peu d'informations sur l'enfance d'Irina, elle parlait juste de sa mère, elles dînaient toujours toutes les deux dans la cuisine beaucoup plus tôt que le père qui rentrait tard de ses chantiers. La mère se faisait des chignons et mettait des foulards sur ses cheveux, elle les nouait sous son cou comme si elle avait été Audrey Hepburn en décapotable, ça lui conférait une sorte de dignité de belle lavandière à cause des gilets à trou-trou faits maison qu'elle portait avec ses foulards à pois. Elle obligeait Irina à mettre des robes en tricot à même la peau, ce qui lui occasionnait des poussées d'eczéma dans les régions plissées du corps (adulte, la vue d'une robe en tricot pouvait encore faire surgir des chapelets de minuscules boutons blancs sur les doigts d'Irina, ils la démangeaient tant qu'elle finissait par s'arracher la peau avec les ongles). Sa mère lui interdisait de jeter un œil dans les cafés – elle lui administrait de petites claques à l'arrière du crâne quand elles passaient devant la vitrine d'un bistrot afin qu'Irina conserve la même allure et n'aille pas couler un regard vers ces lieux de perdition.

Et plus il médite sur la question, plus Lancelot est atterré de la pauvreté des données qu'il a pu glaner sur sa belle. Quand d'aventure il avait voulu l'interroger aux grands débuts de leur histoire, elle pirouettait et fronçait les sourcils comme si elle l'accusait de vouloir lui faire une crise de jalousie *a posteriori*. Il avait fini par taire ses propres élans inquisiteurs afin de ne pas effaroucher ou blesser son aimée. Résultat des courses : il ne connaissait d'elle que le grain de sa peau, sa tendance à privilégier les alcools forts et son amour des animaux en voie de disparition.

Lancelot s'empare d'un sac de sport et le remplit de vêtements chauds et de crèmes réparatrices à l'aloe vera (Irina semblait en garnir des étagères entières du placard à pharmacie). Quand le sac devient trop lourd pour être transporté, Lancelot reste debout à en contempler le contenu qui nausée par l'ouverture, il fronce les sourcils et tire sur la fermeture éclair comme un perdu jusqu'au moment où elle se sépare définitivement en deux, Lancelot jure entre ses dents, Putainputainputain, il s'en va chercher du scotch, revient avec un rouleau blanc marqué de deux cent mille FRAGILE rouges (vestige de leur déménagement dans la maison du bonheur), et momifie son sac de sport en s'acharnant sur le rouleau de scotch jusqu'à ce qu'il soit complètement dévidé.

Il le pousse d'un coup de pied dans l'escalier, le sac dégringolant quelques marches, s'arrêtant en chemin, Lancelot le poursuivant, se cramponnant à la rampe et le bourrant de coups de pied pour que le sac atterrisse au rez-de-chaussée, puis il le traîne jusqu'au garage et le fourre dans le coffre de la voiture avec des efforts démesurés comme si le sac renfermait quelque chose de beaucoup plus encombrant et vivant que ce qu'il contient en réalité. Lancelot remonte chercher ses papiers, son argent, son portable qui ne lui sert à rien mais il ne peut imaginer le laisser là, les pilules bleues et des photos d'Irina (qui sourit, qui a des dents, des cheveux et du sang qui pulse dans ses veines), il omet sciemment l'urne qui contient les cendres d'Irina et de microscopiques bouts d'os qui appartiennent autant à Irina qu'aux précédents occupants du four dans lequel son corps a été brûlé, il retourne à la voiture, met la *Norma* à plein volume sur l'autoradio, puis il va éteindre toutes les lumières et boucler la maison comme s'il partait pour un très long voyage.

III

22

Irina aimait les enfants d'une manière très particulière.

Pour commencer elle n'en avait jamais voulu.

Elle en avait discuté avec Lancelot tout au début de leur relation, elle avait tenu des propos assez décourageants sur l'état du monde et la pénurie d'eau. Elle avait longuement exposé les raisons qui l'empêchaient de procréer et qui avaient à voir avec la disparition du pangolin, le fascisme qui pointait et la pollution des nappes phréatiques. Lancelot, qui ne tenait pas particulièrement à se reproduire, mais, le cas échéant, aurait bien aimé que ce fût avec elle, l'avait écoutée avec attention, il se sentait compréhensif mais légèrement déçu – il avait eu envie de faire un chiffon très serré de cette déception, il était certain de pouvoir le jeter loin de lui afin de ne plus y penser. Ce qui lui semblait le plus important à l'époque c'était d'avoir le privilège de se réveiller chaque matin auprès de cette belle femme, ce qui n'avait de cesse de le remplir de bonheur – il ouvrait un œil et se mettait à sourire dans l'instant, Ah oui c'est vrai, se disait-il, je suis à côté d'Irina, il touchait sa peau et soupirait d'aise, sa joie ressemblait à un astre qui aurait logé dans sa poitrine, sous ses côtes, et qui aurait rayonné d'une chaleur pâle.

Quand ils s'étaient installés à Catano, Lancelot et Irina avaient des voisins. Il s'agissait d'un type qui élevait des braques et vivait à trois cents mètres de là dans une maisonnette avec sa fille de six ans.

La gamine s'appelait Tralala. C'est ainsi qu'elle s'était présentée à Irina et Lancelot quand ils l'avaient rencontrée pour la première fois. Irina avait trouvé à la fois très gai et très triste d'être surnommée ainsi. Irina oscillait souvent entre deux extrêmes, elle jugeait facilement les choses déprimantes et exaltantes. Et quand Lancelot lui avait demandé pourquoi elle pensait que Tralala était un nom gai et triste à la fois, elle avait dit, Je pense que c'est très joli (et elle avait agité la tête comme un pantin pour montrer que Tralala lui évoquait un carillon), mais c'est aussi le nom d'une pute transsexuelle qui meurt au milieu d'un terrain vague dans un livre de Selby.

Tralala venait souvent les voir, elle marchait le long de la route en chantonnant et dégringolait le talus jusqu'à leur maison, accompagnée de l'un des braques de son père.

Elle frappait à la porte et criait, Toc toc toc, très fort. Quand Irina lui ouvrait, elle entrait et le braque s'allongeait sur la véranda, la tête posée entre les pattes, clignant lentement des paupières et fronçant un peu le front avec mélancolie. Il faisait office de garde du corps, il ne se mêlait pas de la vie privée de sa cliente, et il ne lui manquait que l'oreillette et le costume trois-pièces qui dissimule le gilet pare-balles.

Tralala se tournait vers l'animal et disait, Je reviens, Chouchou. Elle appelait tous les chiens de son père Chouchou et quand on lui demandait si elle aimait bien les chiens en général, elle répondait, Oui surtout leur couleur (parce qu'elle avait rencontré dans sa courte vie très peu d'autres chiens que les braques de son père).

Si Irina ou Lancelot étaient trop absorbés pour s'occuper d'elle, ils lui proposaient un Tex Avery, elle disait, Oui oui un texavery, comme s'il s'était agi du nom d'un sirop à la fraise. Elle se précipitait vers le canapé et s'y affalait en soupirant, Je suis épuisée de fatigue, puis, la télécommande à la main, elle passait au ralenti les scènes où l'on voyait se déhancher la sublime rousse qui rendait le loup dément. Tralala l'appelait La Belle Fille, elle disait, J'adore quand il y a La Belle Fille, et elle appuyait sur PLAY, sur PAUSE, sur PLAY, sur PAUSE, et se délectait de la capturer pour l'immobiliser à chaque fois qu'elle amorçait un mouvement.

Un jour elle avait dit à Lancelot, On dirait ma maman, et Lancelot avait acquiescé en pensant, Bien sûr bien sûr (puis une fois, il était allé chez Tralala et il y avait une photo de sa mère sur le buffet, elle avait effectivement les cheveux orange, la bouche ronde et les yeux surlignés d'un trait d'eye-liner d'un demi-centimètre d'épaisseur).

Tralala n'avait plus de maman, elle était morte d'un cancer deux ans auparavant. Tralala disait, Je ne crois plus au bon Dieu, sinon pourquoi il m'aurait fait ça. Quand elle entendait quelqu'un lui dire que sa mère était devenue une étoile du firmament, elle haussait les épaules et secouait la tête, Je ne crois pas à ces choses-là, affirmait-elle. Et ça ressemblait plus à un règlement de comptes avec Dieu (si je le vexe il apparaîtra peut-être) qu'à une vraie déclaration de scepticisme.

Une fois, Lancelot avait dit à Irina :

J'aime bien te regarder avec Tralala.

Elle ne s'était pas tournée vers lui mais avait rétorqué :

Je te vois venir.

Puis elle lui avait fait face, elle avait posé les deux poings sur ses hanches et dit :

Justement ça me conforte dans l'idée qu'il est inutile de faire des enfants alors qu'il y en a déjà tellement qui ont besoin qu'on s'occupe d'eux.

Je sais, avait-il concédé.

Et tu es si fier de ton capital génétique que ça te semble indispensable de te reproduire ?

Lancelot avait froncé les sourcils mais il avait abandonné la discussion, il avait juste dit, Désolé, et elle avait répondu, Désolée.

Irina avait de longues conversations décousues avec Tralala, elle lui passait les films documentaires qu'elle avait tournés (le requin baleine dans le récif corallien du Belize et sa prolifération due au réchauffement des eaux), elles s'asseyaient sur le canapé, Tralala installait sa tête sur l'épaule d'Irina, elle lui prenait un bras pour le passer autour de son propre cou, elle se mettait à sucer ses doigts, ne bougeait plus et respirait à peine, tant et si bien qu'on l'eût facilement prise pour un coussin.

Tralala restait beaucoup de temps devant la télé, ce qui façonnait son regard de manière très particulière, elle dessinait des personnages en deux dimensions comme plaqués sur le papier et elle les inscrivait dans un cadre noir. Parfois même elle dessinait de petits ronds sur la droite de la feuille – les boutons volume et contraste.

Tralala parlait à ses mains et allait très peu à l'école. Pendant sa maladie, sa mère lui avait appris à lire et le père de Tralala ne voyait pas bien ce que sa fille aurait bien pu aller chercher dans un établissement scolaire – De toute façon, ça ne mène à rien, c'est une usine à feignants, répétait-il à l'envi. Et à chaque fois que Lancelot l'entendait prononcer des sentences de ce genre, il se disait, Ça ne colle pas, ce type ne peut pas vraiment penser un truc pareil.

Régulièrement, quand Lancelot rentrait des courses, il trouvait Tralala et Irina dansant échevelées dans le salon, elles se tenaient les mains, remuaient la tête et balançaient les fesses, le volume de la chaîne à son maximum. Lancelot restait sur le seuil, elles ne l'entendaient pas arriver, elles se regardaient l'une l'autre en se trémoussant, les yeux brillants et les joues rouges, il semblait qu'elles aient eu peur de se perdre de vue, Tralala bougeait d'une façon bizarre comme si elle était au fond de l'eau ou qu'elle imaginait être la personne la plus gracieuse qui soit – elle dessinait de grandes arabesques avec les bras et titubait en renversant les petits meubles de la pièce. Lancelot battait en retraite, il avait toujours eu un peu de mal avec le rock'n'roll, il ne comprenait rien aux guitares électriques, ça lui donnait l'impression que les fondations de la maison étaient ébranlées, il sentait presque le sol se dérober sous ses semelles, alors il sortait, il s'asseyait sur la véranda avec ses sacs plastique pleins de nourriture et il attendait que le tohu-bohu se calme. Il regardait au loin sans se rendre vraiment compte qu'il faisait froid. Il était légèrement anesthésié. C'est agréable, se disait-il, c'est réellement très agréable. Quand le bruit s'était tu, il pénétrait de nouveau dans la maison, elles étaient affalées dans le canapé et elles avaient l'air aussi excitées que si on venait de leur distribuer des tickets pour la kermesse, elles le voyaient débarquer comme s'il revenait d'une île lointaine et qu'elles avaient fait leur vie en son absence, elles lui souriaient et pouffaient et Lancelot aimait les voir ainsi.

Quand Irina s'absentait pour un tournage, Tralala venait tout de même, parfois accompagnée de son père. Celui-ci apportait de la bière et des cacahuètes comme s'il pensait que Lancelot ne pouvait en détenir dans ses propres placards. Il parlait de ses chiens et de la mère de Tralala. Et Tralala restait assise par terre à jouer avec ses mains tout près d'eux, livide comme une enfant tuberculeuse, dessinant des géométries très variables avec ses doigts, accompagnant son chantonnement coutumier d'un drôle de bruit de gorge, quelque chose qui faisait vibrer ses cordes vocales, on entendait clairement cette vibration, on pouvait visualiser la raideur des cordes vocales trembloter pendant qu'elle chantonnait sans se lasser la même ritournelle affligeante. Parfois elle se levait, elle allait chercher le Scrabble dans la chambre du fond, elle s'installait à la cuisine près du frigo, assise sur le carrelage. Elle alignait des lettres sur le sol pour fabriquer des mots. Elle ne rangeait jamais les lettres dans la boîte quand elle repartait avec son père. Alors Lancelot, à leur départ, allait aussitôt dans la cuisine, impatient de lire le message secret qu'elle lui avait laissé, et il considérait les phrases que Tralala avait composées : j'ai faim ma palpitante ; silence ma peau ; je t'offre une légèreté toute nue ; encore un silence félin. Il restait debout, son thé à la main, face au frigo qui ronronnait, à s'imaginer qu'il pouvait comprendre quelque chose de cette enfant. Il se mettait à respirer très lentement et il pensait être alors capable de percer à jour un mystère.

Et puis Tralala avait disparu.

Elle n'était pas venue pendant plusieurs jours alors Lancelot avait appelé le père de la petite.

Allô c'est Lancelot, je ne te dérange pas ?

Lancelot ?

Il avait eu l'air tellement surpris que Lancelot avait précisé son nom de famille.

Eh... ça va ?

Non.

Que se passe-t-il ?

Je suis tout seul. Tralala est partie.

Lancelot avait senti affluer vers lui, en plus d'une panique acide qui lui immobilisa les organes, des images d'enfant trouvée dans un fossé les jupes relevées. Il avait dégluti.

Quand ?

Il y a trois jours.

Ça commence à faire terriblement long.

Bah oui.

Tu as lancé les recherches ?

Les recherches ?

Oui pour la retrouver.

La retrouver ? Mais je sais où elle est.

Lancelot se mit à hyperventiler, ça produisait un bruit d'essoufflement comme un épagneul qui a couru après une perdrix sans se rendre compte que la bataille était perdue d'avance – des ailes contre des pattes.

Je ne comprends pas bien, avait-il fini par souffler.

Elle est partie chez ma sœur.

Qu'est-ce qu'elle est partie faire chez ta sœur ?

Ils vont la scolariser dans leur bled à la rentrée.

C'est où ?

À cinq cents d'ici.

Cinq cents quoi ?

Cinq cents kilomètres.

Et d'une voix pâteuse, le père de Tralala raconta que sa sœur et son mari étaient passés récupérer la petite, ils avaient proposé à Tralala de l'emmener et la gamine avait accepté.

Ils ont un fils de huit ans, précisa-t-il.

Il annonça la chose comme s'il avait découvert le nom de l'amant de sa femme, constaté la garniture de son compte en banque et la longueur de son engin. Il tenta d'expliquer à Lancelot que sa sœur et son beau-frère avaient décrété qu'elle ne pouvait plus dormir dans un carton, que, dans leur maison, elle aurait une chambre et un lit, qu'elle jouerait à la poupée et pas avec des fauves comme en élevait son père, il fallait s'occuper du salut de cette petite, affirmaient la sœur et son mari, le père de Tralala ricanait en prédisant que la fillette s'installerait de nouveau un carton au milieu de sa chambre, un grand carton avec des coussins et des couvertures, qu'elle en ferait sa cabane, que les deux connards ne pourraient pas lutter, ils pourraient toujours essayer de la faire dormir dans un lit rose et plein de fanfreluches, la petite s'installerait comme d'habitude, elle dessinerait sur son carton des fenêtres au marqueur et ferait la grève du sommeil si on la forçait à quitter sa cabane, elle savait faire des choses de ce genre, assise en tailleur, bien raide contre ses oreillers, les yeux grands ouverts sans cligner, un truc qu'elle avait mis au point, un truc qui forçait l'admiration, ou bien alors elle frapperait toute la nuit le montant en métal de son lit avec une cuillère à café, elle les rendrait cinglés, et alors ils lui ramèneraient sa gamine et cesseraient de le menacer de lui envoyer les services sociaux.

Tu as bu ? demanda Lancelot.

C'est pas le sujet.

Je sais mais tu as bu ?

Le père de Tralala raccrocha sans un mot de plus.

Quand Lancelot la mit au courant, Irina décida d'aller voir elle-même ce qui se passait dans la maison de Tralala.

Je t'accompagne, fit Lancelot.

Hors de question.

Pourquoi ? (Lancelot, les bras ballants, les sourcils haussés, On ne veut pas de moi, on me déteste, on me rejette.)

Tu sais bien qu'il sera plus en confiance avec moi.

Non je ne savais pas.

Allez allez mon grand loup, il voudra s'épancher et n'aura pas tellement envie que tu le voies dans cet état.

Lancelot avait tourné le dos et grogné :

C'est bon.

Irina avait quitté la maison, il était dix heures du matin, elle était revenue neuf heures plus tard.

Vous avez fait quoi pendant tout ce temps ? avait demandé Lancelot qui avait passé cette journée à lutter contre le désir d'appeler sous de fallacieux prétextes et à batailler contre l'impulsion d'aller fouiner mine de rien sous les fenêtres du père de Tralala.

On a parlé.

C'est tout ?

Non j'oubliais. On a baisé comme des sauvages.

C'est malin.

Oh mon amour qui a perdu son sens de l'humour.

Ce n'est pas drôle.

Désolée.

Désolé.

Irina s'affala dans le canapé, tendit la main vers le bar en souriant d'un air épuisé à Lancelot pour qu'il lui prépare un remontant. Il partit chercher du tonic dans la cuisine pendant que, depuis le canapé, elle lui donnait les informations qu'elle avait recueillies. Elle les hurlait pour qu'il ne puisse rien louper. Elle cria que la sœur du père avait bien emmené la petite. Et qu'en plus elle était mennonite.

Mennonite ? fit Lancelot en revenant dans le salon avec un plateau.

Oui tu sais, ces gens qui ne savent pas ce qu'est une télé, qui conduisent des carrioles (là Lancelot visualisa la sœur en blouse noire enlevant Tralala dans une voiture à cheval et traversant Catano, le buste bien droit et la coiffe d'aplomb), qui ont des enfants tous atteints de jaunisse rapport à la consanguinité, qui ne boivent aucun alcool, qui pensent que le rock'n'roll vient tout droit des enfers pour leur pervertir l'âme, et qui ne font entrer aucune matière plastique dans leur maison.

Mais comment ont-ils pu obtenir de prendre la petite ?

Le père de Tralala a déjà eu maille à partir avec la justice.

(Maille à partir ? Lancelot se demanda d'où venait cette expression. Il s'y attarda, il la décortiqua, pensa à un tricot qui se démaille, à la laine entortillée qui tombe sur le sol et forme des montagnes duveteuses et aériennes, il laissa passer la fin de la bobine et reprit en cours.)

Je ne savais pas.

Tu ne savais pas quoi ?

Qu'il avait eu des problèmes avec la justice.

Mais j'étais en train de te parler de son départ pour Camerone…

Excuse-moi.

Tu ne m'écoutes pas.

Si. Mais tout ça m'a un peu sonné, je n'ai pas suivi…

Tu ne m'écoutes pas.

Je te dis que si.

Bon. (Elle se ménagea une pause pour que Lancelot mesurât sa clémence et appréciât la suite du récit.) Je te disais, reprit-elle, qu'il est complètement désespéré et qu'il n'arrive pas à imaginer rester ici tout seul. J'ai tenté de le dissuader de partir. Je pense que c'est une décision trop rapide. Mais rien n'y a fait. Il part s'installer à Camerone, il revend les chiens et il se fait réparateur d'escalators.

Qu'est-ce que c'est que cette histoire ?

Apparemment c'était son premier métier…

Premier ?

Avant l'élevage de braques.

C'est n'importe quoi, fit Lancelot en secouant la tête.

Je ne sais pas bien.

Et à qui il va vendre ses chiens ?

Je ne sais pas. On pourrait peut-être en prendre un.

Non.

Non ?

Ce n'est pas possible. Tu es toujours partie par monts et par vaux. Et moi vraiment les chiens, je peux pas.

N'en parlons plus.

Désolé.

Désolée.

Et le père de Tralala avait quitté la maisonnette à trois cents mètres de celle de Lancelot et Irina, il l'avait barricadée comme si elle était minée, il avait cloué des planches aux fenêtres et peint des têtes de mort sur la façade pour dissuader les mômes du coin d'aller y fricoter. Puis il avait entassé ses affaires dans sa vieille Toyota, il était venu embrasser Irina et serrer la pince de Lancelot (il sentait la bière, la vieille bière qui sédimente dans les organes, qui clapote au fond de l'estomac depuis des lustres, il était sept heures et demie du matin), il avait donné l'adresse de Tralala à Irina (et pendant tout le temps qui lui restait à vivre, Irina écrivit à la petite sans jamais recevoir de réponse), puis il était parti dans sa voiture qui émettait un bruit de ferraille secouée dans un sac de toile, avait agité la main et s'était éclipsé pour se transformer en réparateur d'escalators. Irina pleurait. Elle avait perdu Tralala. Et le père de Tralala.

Elle pleura jusqu'au soir.

Le père de Tralala s'appelait Kurt Bayer.

C'était l'homme à qui appartenait la voiture (qui n'était pourtant pas une Toyota déglinguée) dans laquelle Irina avait terminé son temps au fond de l'eau glacée de l'Omoko.

Il s'appelait Kurt Bayer et Lancelot n'arrête pas d'y penser alors qu'il fonce vers Camerone sous la neige, tentant de s'éloigner le plus vite possible de la maison en bardeaux qu'il a partagée avec Irina, qui lui semble être devenue un lieu maléfique (il ferait n'importe quoi pour qu'un gamin pyromane vienne la réduire en cendres), allant jusqu'à imaginer qu'elle a été construite sur un cimetière indien (il n'y a pas d'Indiens dans le coin), ou bien un cimetière d'hommes de Neandertal (ils enterraient leurs morts ?).

23

Lancelot s'arrête à la première station-service qu'il trouve sur la route. Il croit geler brutalement en ouvrant la portière (avec un clac sec et assourdissant comme en produit chaque couche de glace se formant dans le lac, et chacun de ces craquements s'entend à des kilomètres à la ronde et on sait à ce moment-là que l'hiver aborde un vilain tournant), il se tourne vers la banquette arrière pour expliquer à ses enfants imaginaires qu'il n'en a pas pour longtemps, il farfouille dans la boîte à gants pour prendre son argent et tombe sur des reliques d'Irina. C'est ce qu'il se dit, Ce sont des reliques d'Irina. Et il pense au saint suaire.

Les reliques d'Irina sont :

deux tubes de rouge à lèvres Rouge de Rouge (l'un presque fini, l'autre à peine entamé) ;

trois petites cuillères de compagnie aérienne (comme tout le monde Irina piquait les petites cuillères, ses préférées étaient celles de Swiss Airlines, elle était parfois prête à aller en Inde via Zurich juste pour pouvoir voler la petite cuillère de sa salade de fruits en conserve) ;

dix comprimés d'iode stable (assurément pour contrer l'iode radioactif en cas d'incident nucléaire ou de bombe sale) ;

un vaporisateur de parfum (à la rose, Irina affirmait que l'odeur de la glycine, du freesia, du lilas et du muguet ne pouvait être extraite de la fleur, mais seulement reconstituée chimiquement. Et Irina détestait les reconstitutions chimiques. C'est du moins ce qu'elle prétendait) ;

une lampe de poche ;

un bracelet en plastique vert qui se sépare en deux morceaux identiques pour pouvoir l'enfiler et qui se soude autour du poignet grâce aux aimants qu'il renferme ;

une page de magazine pliée en quatre, où il est question d'un côté de corn-flakes au chocolat bio (avec bon de réduction à découper) et où l'on peut découvrir de l'autre un article sur le son Mosquitone, le son que seuls les adolescents peuvent entendre. Lancelot lit l'article en diagonale, il ne savait pas que ça existait, il se dit, Je suis bien trop vieux pour l'entendre, mais il a envie de tester la chose, de vérifier s'il ne fait pas exception à la règle, ça lui ferait tellement plaisir de faire exception à la règle, puis il regarde le bon de réduction et se demande quel côté de la feuille intéressait Irina.

Quand il a fait le plein il reprend son chemin, tentant de déconnecter son cerveau de ses préoccupations, essayant de ne se concentrer que sur la route et l'intervalle entre les lampadaires. Les poids lourds qui le dépassent émettent des barrissements de paquebot et créent de tels appels d'air que Lancelot se cramponne à son volant et cesse de respirer quelques secondes au moment où les camions le frôlent.

Son téléphone sonne, il jette un œil au numéro qui s'affiche, c'est celui de l'agence immobilière, il attend que son interlocuteur laisse un message et il enclenche le haut-parleur pour l'écouter tout en conduisant.

C'est Marie Marie qui, avec une toute petite voix, lui demande s'il veut visiter d'autres maisons, s'il a besoin de parler, s'il a cinq minutes, elle toussote et lui souhaite une agréable journée, il réécoute le message, sa voix est flûtée et mélodieuse, elle n'a rien de rose ni de clinquant. Il est touché qu'elle l'appelle. Cela fait longtemps qu'il n'a pas reçu sur cet appareil d'autres appels que ceux de l'inspecteur Schneider. Il l'archive. Afin de le réécouter à loisir. Puis il tente de nouveau de se concentrer sur la route.

Mais lui revient sans cesse à l'esprit que la seule personne qu'il pense connaître à Camerone – à part Kurt Bayer, et Lancelot soupçonne que le retrouver ne sera pas une mince affaire –, la seule personne susceptible de se souvenir de lui est Elisabeth, sa première femme. Cette pensée le laisse tout écarquillé et prêt à jeter sa voiture et tout ce qu'elle contient (lui, sa mémoire triste, ces putains de comprimés d'iode stable qui sont comme des indices supplémentaires de la dinguerie d'Irina, les rouges à lèvres qui exploseront en particules de peinture mate et les cuillères à café qu'elle volait au prix de milliers de litres de kérosène) contre la glissière dite de sécurité, il est prêt à se précipiter vers son horizontalité métallique, il se voit déjà faisant le geste, donnant le coup de volant fatal, il peut visualiser la voiture valdinguant dans le décor, fumant et stoppant sa course sur le toit comme une grosse tortue handicapée, les roues tournant encore, et cliquetant et perdant ses liquides et finissant par exploser en plusieurs endroits à la fois et cramant Lancelot et tout ce qu'elle contient (Et là, oui, je serais bien avancé avec mes comprimés d'iode stable).

L'autre pensée parasite est l'impression de fuir à la fois un terrain miné et hanté (la maison) et des interrogatoires vicelards et orientés (l'inspecteur Schneider).

Sa fuite le rend suspect.

Mais finalement, un peu plus un peu moins.

Il se dit, Tant que je ne suis pas acculé je n'arrive jamais à bouger.

La possibilité d'en finir (dérapage dans la glissière d'insécurité ou overdose de pilules bleues du docteur Epstein) rend la situation moins éprouvante. Ça lui rappelle son désespoir quand il était enfant, son désespoir d'être le fils de cette femme abandonnée sans cesse par tous les hommes qu'elle aimait – il avait la conviction qu'il lui faudrait *ad vitam* s'occuper d'elle, même quand elle vivrait au fond d'une caravane et souffrirait d'incontinence et d'occlusion intestinale chronique, que c'était sa croix et son devoir et sa faute à lui Lancelot et que la seule solution qui s'offrait à lui, s'il voulait éviter ce calvaire, était d'en finir tout de suite (ou peut-être demain) en s'ouvrant les veines au cutter dans le lavabo de la salle de bains.

Lancelot avait été un petit garçon assez morose.

Mais sa mère lui avait évité des complications de ce genre en mourant d'une septicémie à la suite de l'arrachage d'une dent de sagesse.

Lancelot avait à l'époque seize ans.

Et il s'était senti triste, seul et soulagé.

Il était parti vivre dans un foyer le temps qu'il lui restait à tirer avant sa majorité. Puis il s'était transformé en étudiant boursier et sérieux et ennuyeux. Et il avait rencontré Elisabeth sur les marches de la bibliothèque de l'université.

Lancelot essaie de nouveau de se concentrer sur la route. Il allume la radio pour entendre le monde s'écrouler. Il observe les voitures qui le doublent. Il tourne la tête pour regarder le visage des conducteurs. C'est toujours très étrange, cette illusion de vitesse et d'immobilité quand une voiture vous double et que vous saisissez le regard muet de son conducteur. Chacun dévisage l'autre, chacun traverse le Styx silencieusement. C'est alors que Lancelot reconnaît ou croit reconnaître le visage du conducteur de la voiture grise qui le dépasse sur la droite. Leurs regards se croisent à la fois furtivement et comme dans un temps suspendu. C'est le grand Paco Picasso, le père ressuscité d'Irina. Les yeux de Lancelot clignotent, il fait une légère embardée qui provoque en lui une poussée d'adrénaline lui électrisant les bras. Il se penche et scrute la voiture qui l'a dépassé. Elle n'est pas grise mais bleue. Elle continue sa route. Lancelot aimerait avoir le loisir de paniquer mais ce n'est pas le bon endroit, il en est à peu près sûr. Il écarquille les yeux, retrouve lentement son calme, sent son cœur décélérer après sa gigue et fixe son attention sur les bandes blanches qui défilent, hypnotiques, et disparaissent comme si la voiture les avalait l'une après l'autre.

24

L'absence d'Irina est aussi impressionnante que sa présence. C'est comme si son absence avait embouti l'air de l'espace exact et de la forme exacte de sa présence. Vous pouvez considérer être assis à côté de l'absence d'Irina. C'est une proposition tout à fait acceptable.

25

Lancelot n'a fait qu'une pause sur le chemin, il a dormi sur une aire d'autoroute dans sa voiture en imaginant qu'on allait peut-être l'en déloger à coups de trique ou bien le braquer. Il se réveille avec la bouche en carton et la nuque raide au milieu des poids lourds qui ronflent rideaux tirés sur le parking. Il lui semble être un poisson torpille au milieu des orques. Il reprend sa route.

Il s'arrête toutes les trois heures dans des stations-service. Il erre entre les rayonnages en écoutant la petite musique de nuit, il se dit, Ici tout n'est qu'ordre luxe calme et volupté, il se dit, Je pourrais ne vivre qu'en fréquentant ce genre d'endroit, je voudrais toujours rester ici. Puis il achète des chips saveur carpaccio et plus tard des chewing-gums à la crème de marrons, il ne lit pas la composition pour emmerder Irina, et il reste un moment devant les tirettes à jouets. Il met une pièce dans la fente et il récupère le Tortue géniale de Dragon Ball, il ouvre la capsule dans laquelle se trouve le personnage, il ne sait pas qui est Tortue géniale alors il laisse le jouet bien en évidence sur le rebord de la vitrine à l'extérieur pour qu'un enfant le prenne.

Il retourne dans sa voiture.

Il regarde sur la banquette arrière.

Mais il n'y a personne sur la banquette arrière. Ni d'ailleurs sur le siège passager.

Lancelot mange les chips saveur carpaccio puis il prend quatre chewing-gums qu'il préfère avaler.

Et il continue sa route.

Il se replonge dans sa comparaison obsessionnelle maman-Irina. Ça l'occupe. Il a l'impression de pouvoir compter les points. C'est comme d'organiser un match de catch dans la boue.

Il se rend compte que toutes deux se préparaient en général à survivre à un désastre – attaque aérienne, ouragan dévastant la ville et les circuits de communication, panne d'électricité de plusieurs semaines (du sucre du sucre, si je n'ai qu'un kilo de sucre je n'ai pas de sucre), hausse du prix du pétrole, la mère de Lancelot emmagasinant, à la moindre augmentation, des paquets de nouilles chinoises et des dizaines de boîtes de maïs et de miettes de thon en conserve, l'angoisse d'Irina face aux pourparlers des États-Unis avec la Corée du Nord, les renseignements qu'elle collectait sur la maladie de Minamata et les témoignages des rescapés de Tchernobyl, l'anxiété qui la gagnait parfois et la poussait à enfiler un vêtement entièrement huilé dès qu'il pleuvait, s'encapuchonnant en s'étranglant presque, de peur d'être touchée par une pluie acide. Lancelot se souvient de la défiance d'Irina envers les pesticides, défiance qu'elle entretenait en s'abonnant à des revues spiritualo-médicales qui décrivaient les méfaits de l'agriculture extensive et des recherches génétiques, ces lectures la captivaient, l'incitaient à répéter, Ils sont fous, ils sont complètement fous. Ce qui faisait sourire Lancelot. Il appelait cette tendance, La Manie du Grand Complot. Irina avait une prédisposition à utiliser un ILS dangereux et tout-puissant pour mettre en forme ses craintes, ce qui était également un symptôme de la mère de Lancelot. Sauf que sa mère avait longtemps braqué son indignation sur les riches décadents qui exploitaient la misère des étrangers. À la fin de sa vie la détresse de la mère de Lancelot s'était muée en amertume : les pauvres étrangers qui avaient longtemps été exploités étaient en fait venus lui voler son travail – elle avait toujours été serveuse dans un restaurant au service continu.

Lancelot cogite. Il avait sous-estimé la tendance recherche-de-gourou d'Irina. Il prend conscience qu'il avait presque considéré ce penchant comme une particularité physiologique féminine. Il avait imaginé que c'était aussi inévitable et peu alarmant que les cycles menstruels.

Il en pleurerait.

Lancelot arrive le lendemain dans l'après-midi à Camerone.

Il déniche une pension dans le centre-ville. Elle donne sur une petite place arborée avec un portique de balançoire scandinave et une caserne de pompiers sur la gauche, il se poste à la fenêtre de sa chambre et n'en revient pas d'être revenu là. Il fait beau. Il ne se sent pas fatigué, pourtant il a conduit deux jours et deux nuits en ne prenant que quelques heures de repos. Il est tranquille comme lorsqu'on a si peu mangé que la sensation de faim disparaît pour laisser place à un grand vide, le corps semble alors être en creux, et on a presque l'illusion de pouvoir renoncer à jamais le nourrir.

Accoudé à la balustrade, il aperçoit deux enfants qui jouent, ils ont trouvé une grenouille près du minuscule plan d'eau qui stagne en se lentillant au milieu de la place, ils miment le saut de la grenouille et la poursuivent en coassant sous les acacias. Leur mère doit être assise sur un banc non loin. Lancelot l'entend qui rit au téléphone. Il pense à la dernière grenouille qu'il a croisée dans sa vie, c'était l'été dernier dans le jardin, la nuit était tombée, il était avec Irina sur la véranda, elle buvait son gin du soir et lui un thé glacé, ils regardaient les étoiles palpiter et il espérait qu'elle ne parlerait pas des étoiles qui sont mortes depuis des milliers d'années et dont la lumière continue à venir jusqu'à nous. Qu'elle se permette une remarque de cet ordre l'aurait plongé dans une grande affliction. Mais Irina avait dit, Oh quelque chose a bougé près du sapin, Lancelot s'était penché pour prendre la lampe de poche et il l'avait braquée sur les fourrés, il s'était levé et s'était approché, il avait indiqué à l'intention d'Irina, C'est une grenouille, alors elle s'était mise à glapir, Ne t'approche pas, ne t'approche pas, ne t'approche pas, j'ai lu un truc sur les crapauds venimeux, ils ne savent plus comment s'en dépatouiller en Australie, ils ont déjà tué dix mille personnes. La grenouille avait déguerpi. Et Lancelot s'était retourné vers Irina, la lampe pendant au bout du bras. Ils étaient restés comme ça, immobiles, à se regarder avec tristesse, accablés par la remarque d'Irina, ne sachant plus ni l'un ni l'autre comment sortir de ce mauvais pas, Lancelot aurait pu rire ou rebondir avec une boutade mais il n'en avait pas eu la force. Il avait dit, C'était juste une rainette, une toute petite rainette. Alors Irina s'était levée sans un mot, elle avait ouvert la moustiquaire et elle était rentrée dans la maison. En regardant les lumières s'allumer puis s'éteindre, il avait pu suivre son trajet jusqu'à la salle de bains et leur chambre, Lancelot s'était rassis sur la véranda et s'était balancé sur les pieds arrière de sa chaise en faisant des va-et-vient dans le jardin avec la lampe de poche, scrutant l'obscurité définitive au-delà du faisceau.

Se souvenir de ce soir d'été est assez douloureux pour Lancelot. Il se penche à la balustrade de sa chambre comme si chaque muscle de son cou le faisait souffrir, il se met à observer prudemment les pompiers qui nettoient leur camion. Ils semblent vouloir le faire rutiler comme dans un livre pour enfants.

Un type traverse la rue et passe la grille du square. Il est sec et long comme un fagot. Lancelot reconnaît instantanément cette démarche corsetée de vieux militaire. Il recule d'un bond dans la chambre à l'abri de la tenture. Il se dit, Qu'est-ce qu'il fout là ? Il me suit ?

Le type s'avance sous les acacias et s'assoit sur un banc, il a un journal dans la poche, il le déplie et Lancelot peut à loisir observer son dos.

C'est lui ou c'est pas lui ?

Lancelot se raidit. Il se dit, Je deviens cinglé, tous les types maigres et coincés de la ville ne sont pas le faux père d'Irina, il s'oblige à fermer la fenêtre et à s'asseoir sur le rebord du lit pour appeler les renseignements. Il demande le numéro de Kurt Bayer, mais la fille à la voix de souris qui lui répond et habite sans doute à l'autre bout du pays parce qu'elle se fait épeler Camerone lui annonce que, Désolée, il n'y en a aucun en ville. Alors il raccroche et joint la réception pour qu'on lui apporte un annuaire professionnel. Quand il le récupère, il s'installe sur son lit, allume la télé fixée dans un angle supérieur de la chambre comme une caméra vidéo, supprime le son et se plonge dans la liste des réparateurs d'escalators de Camerone. Très vite il tombe sur Tralala Répar'tout – ascenseurs, monte-charge, escaliers mécaniques toutes marques. Lancelot note le numéro et l'adresse. Puis il sort et s'apprête à s'y rendre à pied.

L'homme droit comme un bâton n'est plus assis sur le banc du square. Lancelot hoche la tête. Il est très content de lui. De ne pas être sorti pour s'embusquer dans les magnolias afin de vérifier qui était cet homme. Lancelot sourit. Il se figure être en convalescence et utiliser des rotules toutes neuves.

Il fait bon, le soir tombe, Lancelot fait une pause et hume l'air, il a envie de crier, Qu'est-ce qu'on était partis foutre déjà dans cet endroit glacé où il fait nuit tout le temps ? Lancelot regarde autour de lui comme s'il sortait d'un long sommeil, il s'extirpe de son cercueil de verre, Hein quoi qu'est-ce ? il marche à pas mesurés, il ne s'est pas servi de ses jambes depuis un bon bout de temps, Non mais sérieusement, rappelez-moi ce qu'on était partis fourgonner dans ce bled là-bas ? Il finit par passer en bas de son ancien appartement – celui où il vivait avec Elisabeth avant de la quitter. Il lève la tête et, ça va, il ne s'évanouit pas, il lui semble voir une silhouette (la sienne ?) glisser devant la fenêtre du salon mais il sait très bien qu'il s'illusionne complaisamment, il continue son chemin en faisant bien attention de ne pas marcher sur les lignes entre les pavés, il avale une pilule bleue du docteur Epstein, sans eau, alors il essaie de saliver, elle reste coincée dans sa gorge quelques secondes, Lancelot panique un rien, il se voit déjà mort étouffé asséché par la gélatine de la pilule qui se collera à sa trachée comme un timbre et ne pourra en être détachée qu'en lui arrachant la paroi du gosier. Il arrive à la faire descendre au prix de contorsions et de grimaces de cinglé au milieu du trottoir juste en bas de son ancien appartement. La pilule est absorbée dans les profondeurs de ses entrailles mais Lancelot va garder pendant plusieurs heures la sensation désagréable de l'avoir toujours coincée dans la gorge.

Il longe un square et constate que, ce qui lui a surtout manqué, ce sont les arbres de Camerone, ici il y a des cyprès qui s'effilent verticalement à des hauteurs déraisonnables, il y a des micocouliers et des figuiers, il y a des acacias et des buissons épineux sans nom qui font éclore des fleurs carmin empoisonnées.

Lancelot marche et goûte sa joie d'être revenu à Camerone.

Il traverse une bonne partie de la ville à pas précautionneux.

Il finit par s'arrêter devant la porte de Tralala Répar'tout.

Des lettres en plastique fluo et des logos de pièces détachées sont collés sur la vitrine. L'endroit a l'air bouclé. Lancelot se plaque à la vitre pour regarder à l'intérieur. Il aperçoit un vieux PC sur un bureau en bois récupération mobilier scolaire, une carte de la ville accrochée au mur, un téléphone anciennement beige repeint en rouge au marqueur, une lanterne chinoise rouge qui pend du plafond, environ cent cinquante paquets de Craven (vides ?) empilés en gratte-ciel dans un coin de la pièce, un fauteuil en fourrure acrylique rouge avec de grosses roulettes derrière le bureau, des dragons rouge et or grimaçants scotchés au PC, ils datent du nouvel an chinois, ils brillent délicatement dans la pénombre. Lancelot consulte sa montre puis l'horaire inscrit sur la porte sous le numéro de portable. L'endroit a fermé il y a une heure.

Il pense, C'est pas gagné gagné.

Il reste un moment là comme s'il réfléchissait, il respire l'air du soir et sa bonne odeur de poussière et de gasoil.

Lancelot décide de s'installer dans le bar d'en face et de surveiller l'entrée de la boutique. Il a l'illusion d'être James Bond. C'est assez plaisant. Comme quand il avait huit ans et qu'il jouait aux agents secrets avec sa mère – faute de compagnons d'un âge plus approprié. Ils s'asseyaient en imperméable à la table pliante de la cuisine et mangeaient du jambon en prenant des mines de conspirateur. Lancelot ne sait pas pourquoi mais à chaque fois qu'il pense à ce jeu, il se souvient des impers et du jambon.

Il trouve une place près de la vitre et s'assoit devant une bière, il sait qu'il ne la boira pas, mais il n'a pas réussi à demander un thé. Il attend vingt minutes en scrutant tant et si fort la boutique rouge qu'elle laisse une ombre verte sur sa rétine quand il détourne le regard. Une voiture se gare, Kurt Bayer en descend, il cherche ses clés puis pénètre dans son bureau. Lancelot est tellement sidéré d'avoir vu juste qu'il n'arrive pas à se décider : soit à se lever et traverser la rue pour parler à ce type, soit à appeler l'inspecteur Schneider pour lui raconter sa découverte.

Il reste assis devant sa bière non entamée, les bras ballants et la mâchoire légèrement tombante.

Kurt Bayer ressort, referme la porte, et, avant que Lancelot n'ait pu amorcer le moindre geste, il traverse la rue et entre dans le bar.

26

Kurt Bayer n'a pas vu Lancelot.

Il s'est installé au comptoir, la serveuse a dit, Salut Klaus, elle ne lui a pas demandé ce qu'il voulait, elle lui a servi un demi et l'a fait glisser sur le zinc jusqu'à lui. Kurt Bayer a maigri. Il a maigri comme cela arrive à certains alcooliques, sa tête blonde oscille sur son cou, on dirait celles des poupées indiennes sur leur socle en terre cuite, ses cheveux sont longs et sales, il porte des lunettes de soleil posées en serre-tête, des chaussures à trou-trou italiennes fatiguées et un costume en velours kaki à fines rayures. Il boite légèrement, il ressemble à un vieux surfeur qui se serait fait croquer une jambe par le requin blanc du coin et qui n'aurait rien trouvé de mieux que d'errer au bord de l'eau en sifflant des canettes et en faisant un peu de rentre-dedans aux jolies filles du cru.

Lancelot est perplexe. Il se demande ce qu'est devenue Tralala. Et ce qu'Irina traficotait encore avec ce type. Et si Kurt s'appelle bien Kurt ou Klaus ? Ou Philémon ou Rocco ?

Lancelot se sent très seul et triste. Il aimerait sortir du bar sans que l'autre le voie, toute velléité le quitte. Il se dit, Et si je m'aplatissais contre la vitre, personne ne me verrait sortir. J'ai quarante-cinq ans mais c'est fou comme je régresse à vue d'œil.

Il se dit, Je n'ai rien à faire ici.

Qu'est-ce que je cherche déjà ?

Kurt Bayer sort un paquet rouge de sa poche, en extrait une cigarette, l'allume et se tourne vers Lancelot qui reste pétrifié sur sa chaise. Kurt Bayer le considère un moment. Puis il prend sa bière et un cendrier et vient s'asseoir devant Lancelot statue de sel.

Kurt Bayer sourit et son visage se transforme en un complexe filet de rides – Lancelot pense aux craquelures dans le sol du Nordeste ou alors à une carte de composants électroniques. Lancelot se demande, Est-ce que ce genre de type plaît aux femmes ? (Il a des idées assez vieillottes sur la question, il imagine encore que seuls les types comme Cary Grant peuvent se targuer d'avoir du succès, il pense élégance désinvolte et pas alcoolisme chiffonné.)

Quelle coïncidence, s'exclame Kurt Bayer en arrivant à injecter dans sa voix l'évidence qu'il ne s'agit absolument pas d'un hasard. Il propose une cigarette à Lancelot qui l'accepte (Lancelot n'a pas fumé depuis deux ans, la dernière fois que c'est arrivé il était avec Irina sur la véranda, elle avait humé l'air, elle avait demandé :

C'est quoi cette odeur de kérosène, c'est un avion qui tombe ?

Non c'est mon briquet, avait répondu Lancelot en agitant son Zippo. Il avait fixé Irina qui avait émis un petit rire pour que Lancelot n'aille surtout pas imaginer qu'elle n'était pas en train de plaisanter et Lancelot s'était senti sombrer dans un puits abyssal, il s'était dit, Je crois que je vais arrêter de fumer).

Je travaille en face, fait Kurt Bayer en désignant sa boutique rouge.

Lancelot continue de sourire, il est devenu aphone.

Ça marche mieux que l'élevage de braques, dit Bayer, et le climat est plus doux.

Lancelot acquiesce, toujours muet.

Que viens-tu faire dans le coin ? demande Bayer.

Et comme Lancelot ne répond pas il dit pour lui :

Ah oui c'est vrai, tu habitais à Camerone avant de t'enterrer chez les Inuits…

Lancelot plisse les paupières pour montrer qu'il apprécie la boutade.

Tu as un problème ? questionne Bayer en désignant sa propre gorge. Polypes, thyroïde, extinction de voix… ?

Lancelot toussote et se sert de ses cordes vocales comme si on venait de lui en greffer de toutes nouvelles, il prend des précautions pour parler, il s'écoute avec circonspection.

Je suis content de te voir, dit-il.

Moi aussi moi aussi moi aussi, répond Bayer en sifflant sa bière. Ça fait un bail…

Lancelot croise les bras et annonce :

Irina est morte.

L'autre fait l'interloqué, il écarquille ses yeux froissés, suspend sa main, cigarette entre pouce et index, Non ? émet-il, et son Non s'étire sur plusieurs kilomètres, ça donne quelque chose comme Nooooooooon… avec extinction progressive de la nasale, affliction mélangée à stupéfaction.

Je suis désolé, ajoute-t-il.

Et Lancelot se dit, C'est ça c'est ça et tu ne cherches même pas à savoir comment c'est arrivé.

C'est moche, épitaphe Bayer.

Il secoue la tête, on dirait un acteur qui a appris à jouer l'accablement mais dont le chagrin, parce qu'on en est à la trentième prise, manque d'authenticité.

Tu l'as fait enterrer ?

Lancelot a un sursaut, il est surpris que ça intéresse tant de monde de savoir ce qu'est devenu le corps d'Irina.

Incinérer.

Je vois, approuve Bayer. Lancelot se convainc que celui-ci a l'air soulagé. Bayer poursuit, Je te demande ça parce que avant j'étais thanatopracteur.

Lancelot regarde dehors, la rue est vide, il se sent palpitant comme du sucre au soleil, il se tourne vers Bayer et s'enquiert lentement de quand date son activité mortuaire. Bayer répond que c'était bien avant les escalators et l'élevage de braques et qu'il a arrêté au moment de la grande canicule – il finissait par travailler à la chaîne.

Bayer scrute sa bière et ajoute qu'il s'est souvent, à l'époque, occupé de morts bizarres.

En fait j'étais spécialisé en morts bizarres, dit-il.

Bayer se met à raconter qu'il récupérait des types au sortir de l'avion à leur retour des îles, des types qui n'avaient rien trouvé de mieux à faire que de plonger avec leurs bouteilles pêcher un mérou pour sauter aussitôt après dans l'avion qui les ramenait chez eux, le mérou encore frétillant. Mais la différence de pression occasionnait des bulles d'air dans leur sang, de minuscules et mortelles bulles d'air. Direct au cœur.

Boum, glousse Bayer.

Lancelot pense au mérou qui devait finir par pourrir dans la soute, personne ne devait juger bon de le manger et la pauvre bestiole était morte pour rien.

Il y avait eu ce type, continue Bayer, qui avait volé un réacteur d'avion dans une base militaire en plein désert. Il l'avait greffé sur sa voiture et puis il avait démarré. Les pneus avaient explosé dans la seconde. Son engin avait dépassé 2 g en deux cents mètres (Bayer émet un bruit de moteur et mime la scène avec les bras). Il a atterri dans la montagne à vingt-cinq mètres du sol, il s'est littéralement planté dans la montagne, il n'est resté qu'un bout de carcasse et quelques dents. Au début on a pensé que le métal qu'on avait retrouvé provenait de la carlingue d'un avion qui se serait écrasé là. Et puis on a vu qu'il s'agissait d'une bagnole.

Lancelot s'aperçoit qu'il connaît déjà cette histoire, il ne sait pas si elle fait partie des mythologies du moment que les gens se racontent en arguant que ces aventures sont arrivées à un cousin d'un copain d'un beau-frère. Lancelot pense à l'histoire des crocodiles dans les égouts de New York et aux types qui faisaient du saut à l'élastique avec des tentacules de pieuvre.

C'est comme l'histoire des types, poursuit Bayer, qui faisaient du saut à l'élastique depuis le pont de Manatet avec des tentacules de pieuvre.

Lancelot avale sa salive, il se dit, Ce type me balade, putain, ce type me balade.

Je me suis occupé du gars qui s'était explosé dans le torrent. C'était pas beau à voir.

Lancelot a un sursaut, c'est Irina qui lui a raconté toutes ces histoires, ça lui revient tout à coup, il se dit, Funérailles (le juron favori d'Irina), c'est Irina qui me parlait de toutes ces affaires-là…

il y en avait plein d'autres… il y avait celle du type qui se suicide…

Une fois aussi, continue Bayer comme s'il lisait dans les pensées de Lancelot, un type s'est jeté du haut d'un immeuble… Il laisse une lettre qui explique le tintouin, il choisit le plus grand immeuble de la ville, il monte sur le toit et hop, il fait le grand saut. Au niveau du premier étage un filet était tendu pour récupérer les choses que les gens balancent depuis leurs fenêtres, afin que ça ne tombe pas sur la tête de ceux qui mangent sur la terrasse du restaurant au pied de l'immeuble. Ce filet aurait pu lui sauver la vie. Mais à la hauteur du troisième étage, un homme jaloux (Jaloux ? se dit Lancelot, Irina n'avait pas mentionné ce détail quand elle lui avait raconté l'histoire) qui se disputait avec sa femme s'empare d'un fusil, il vise sa femme qui se tient debout devant la fenêtre, il tire, la balle rate sa femme mais touche le suicidaire qui, dans sa chute, passait là à ce moment. Le type est tué sur le coup. Il atterrit déjà mort dans le filet de protection. Sa famille a attaqué l'homme jaloux pour homicide involontaire. Ils ont gagné le procès. Hallucinant, non ?

Hallucinant, fait Lancelot sinistre.

Bayer paraît tout à coup prendre conscience de l'incongruité de son discours. Il fait une pause. Il boit la dernière gorgée de sa bière et il ajoute :

C'est la nouvelle de la mort d'Irina qui me met dans cet état. Je me sens un peu fébrile. Je me sens d'humeur macabre.

Pendant quelques minutes aucun des deux ne prononce un mot. Ils fixent leur verre puis regardent la rue, ils ont tous deux l'air consternés.

Et Tralala ? demande Lancelot. Comment va Tralala ?

Bayer lève les sourcils et prononce comme à contrecœur :

Elle est toujours chez sa tante. Elle semble s'y plaire. Elle m'écrit, elle a appris à se servir d'un porte-plume. Tu te rends compte, un porte-plume ? C'est tout juste si ces cinglés n'écrivent pas à la plume d'oie dans leur secte. Pour l'instant, la petite y trouve son compte. Mais je suis sûr que quand elle aura douze ans elle ne les supportera plus et elle retournera voir son vieux père.

Bayer s'adosse à son siège, il a parlé de Tralala presque machinalement, on dirait qu'il a répété ces phrases des dizaines de fois, il finit par dire, Viens, allons-nous-en d'ici, il est maintenant plongé dans des abîmes de tristesse, Je t'emmène, ajoute-t-il. Bayer fait un signe à la serveuse. Lancelot se lève et suit Bayer dans la rue. Ils traversent la chaussée et se dirigent vers la voiture de Bayer en marchant lentement comme si tous deux portaient en équilibre sur leurs épaules un colossal objet en plomb.

27

Lancelot a sombré ce soir-là devant Kurt-Klaus Bayer.

Ce fut comme de s'assoupir dans un vaste corps visqueux à l'intérieur duquel clapotaient des liquides blancs. Lancelot se dit cela, Je suis dans un grand corps monstrueux. Je ne vais pas pouvoir sortir de toute cette bile et de toute cette graisse.

Il s'enfonça jusqu'aux genoux quand Kurt Bayer lui annonça au cours de la soirée qu'il avait fait partie du Cric quand il était jeune.

Le Cric.

Un mouvement antivivisection ultraradical, avait dit le faux père d'Irina.

Tu as fait pas mal de métiers, avança prudemment Lancelot comme s'il avait la bouche remplie d'éther, tu as fait quoi avant de t'occuper des morts, des chiens et des escalators ?

J'ai égorgé du poulet dans un abattoir dans le Sud et puis j'ai été infirmier en neuro, répondit Bayer en regardant ses glaçons tourner au fond de son verre et en semblant prendre plaisir à leur cliquetis.

Lancelot s'enfonça jusqu'au nombril.

Il poussa un grand soupir. Ce fut un soupir inaudible, quelque chose qui se vida dans sa cage thoracique, quelque chose qui se perça et se vida pour se transformer en baudruche poisseuse.

Kurt Bayer connaissait Irina depuis si longtemps.

C'était un château fort en allumettes qui s'écroulait. Ce fut silencieux et définitif.

Bayer et Lancelot étaient en train de picoler dans un bouge que connaissait bien Bayer (sinistre, rouge comme un lupanar, humide comme un caveau). Lancelot qui ne buvait jamais sentait qu'il allait se mettre à sangloter. Et cette possibilité le rendait apathique, il se disait, Advienne que pourra. Son monde menaçait ruine. Lancelot avait déjà les épaules secouées par son chagrin dans un spasme sec. Bayer commençait à être un peu flou. Ses contours étaient mouvants et sa voix allait et venait selon un ressac capricieux.

Comment peut-on connaître si mal la personne avec laquelle on vit ?

Ce fut la question que Lancelot posa à Bayer.

Comment peut-on connaître si mal la personne avec laquelle on vit ?

Lancelot se mit à répéter la question sur un rythme inquiétant qui laissait supposer que ses nerfs allaient craquer d'un instant à l'autre.

Alors Bayer lui mit la main sur la nuque (Lancelot ressentit son geste à la fois comme une mesure de réassurance et comme une menace) et chuchota, Ne t'inquiète pas, Paul, surtout ne t'inquiète de rien.

28

Kurt Bayer ne raccompagne pas Lancelot à sa pension près de la caserne de pompiers, il le ramène en voiture chez lui. Lancelot a la tête qui va d'avant en arrière comme si elle était montée sur un ressort défectueux et il tient des propos incohérents. Sa bouche a été farcie d'une substance, lui semble-t-il, gélatineuse et collante comme les entrailles d'une araignée de mer, il répète cela en ouvrant la bouche et en pointant son gosier du doigt, Awégné de mé, awégné de mé. Bayer acquiesce en conduisant d'une main, optant pour un ton apaisant et une litanie de berceuse, Ça va aller ça va aller on est presque arrivés ça va aller, se penchant pour farfouiller de l'autre main sur le sol de la voiture afin d'y trouver un sac plastique en cas d'incident, tentant tout de même de surveiller la route malgré sa position inadéquate et le nombre d'autocollants (plusieurs soleils souriant et alléguant en espéranto : Nucléaire non merci !) appliqués sur le pourtour du pare-brise comme un début de mosaïque, continuant son, Ça va aller ça va aller on est presque arrivés, lui-même y voyant double ou triple par moments, mais ayant tant l'habitude de cette multiplication des choses qu'il fait avec, vise au milieu et ne s'en sort pas si mal.

Ils arrivent devant chez Bayer. C'est une maison bric et broc dont le seul agrément est le platane lisse et pâle à la carrure exacte et aux proportions centenaires qui ombre le cabanon sur le devant.

On est juste avant l'aube dans les faubourgs de Camerone.

Bayer extrait Lancelot de la voiture et le transporte jusqu'à son lit. Il dit, Il faut que j'y aille, je reviens tout à l'heure, repose-toi, et Lancelot se sent pris d'un vertige comme lorsque l'on monte un escalier dans le noir et qu'on imagine qu'il y a encore une marche après la dernière, le pied se perd un instant, suspendu au-dessus de cette marche fantomatique, et Lancelot bascule, il croit approuver et dire quelque chose de déchiffrable mais rien de probant ne sort de sa bouche. Il s'endort et Bayer part.

Quand Lancelot revient à lui il reste immobile les bras en croix au milieu du lit de Bayer, il regarde fixement le plafond blanc sur lequel l'humidité a fait éclore des végétations moussues, il éternue cinq fois de suite, il jure puis roule sur le côté, Hein quoi qu'est-ce ? murmure-t-il, il plisse les yeux et tente de se souvenir. Sur le tabouret à côté du lit il y a un verre d'eau et deux aspirines, il pense, Je suis chez Bayer ? il essaie de, mais tout se morcelle et s'éparpille comme des particules de mercure qui s'égaillent, il essaie simplement de, mais ça ne marche pas.

Il avale les deux aspirines et le verre d'eau.

Il tente de se lever mais il est encore pris de vertige, le bout de ses doigts, de ses orteils et de sa bite fourmille, c'est une sensation inconnue sur laquelle il se concentre (Tout va se nécroser et tomber ? c'est ça le truc ?), il pose les pieds bien à plat sur le sol, il glisse sur le lit pour se rapprocher du mur et il se lève.

J'ai quarante-cinq ans et je prends ma première cuite. Il en pleurerait. Il a toujours fait passer sa sobriété pour de l'ascèse. Il a simplement toujours eu la trouille de perdre la face.

Tu étais pété de trouille, aurait dit Irina.

Lancelot regarde dehors en rentrant la tête dans les épaules et en plissant les yeux au maximum, il doit être midi, le roi des platanes semble pétrifié, il n'y a pas un souffle de vent, Lancelot ressent sa première satisfaction de la journée en pensant au froid de Catano et en le comparant à la douceur de l'air de Camerone, il se dit qu'il va compter ses menues joies du jour.

Sur la table de la cuisine il y a un mot de Bayer : PARTI BOSSER. TU PEUX RESTER LÀ.

Lancelot se prépare un thé, il trouve des sachets au fond du placard et une casserole, il fait chauffer de l'eau et s'assoit à la table en formica jaune clair face à la fenêtre et au platane, il soupire, il entend les travaux dehors, on construit un bâtiment juste à côté, Lancelot se sent calme et concentré, le thé n'est pas aussi poussiéreux qu'il l'avait supposé, c'est sa deuxième joie du jour.

29

Lancelot passe cette première journée assis dans la maison de Bayer à écouter la radio crachotante et à se remettre d'aplomb en cogitant au désordre des choses.

Il ignore pourquoi mais le désordre des choses lui évoque systématiquement son mariage avec Irina. Il ne voit pas le rapport de prime abord. Il ne devrait pas y avoir de rapport.

Un jour, elle avait simplement annoncé qu'elle voulait s'appeler Irina Rubinstein. Et Lancelot n'avait pas trouvé d'objections à épouser la femme de sa vie – même s'il avait pu être échaudé par ses premières noces malheureuses.

Elle avait dit, Tu t'es marié avec Elisabeth, il y a là une grande injustice.

Ils s'étaient donc mariés à Catano. Étaient présents Bayer et Tralala, qui n'avaient pas encore quitté la ville, et un type du journal pour lequel travaillait Lancelot.

Irina revenait d'un reportage en mer d'Aral, ce qu'elle y avait vu l'avait tout d'abord indignée, puis plongée dans une stupeur muette. Elle était toujours dans cet état cataleptique quand ils avaient fêté leurs épousailles.

Elle parla peu mais sourit beaucoup, elle semblait légèrement absente et pas le moins du monde émue.

Lancelot s'était dit, Quelle drôle de femme j'épouse là.

Et comme toujours il avait ressenti une piqûre d'orgueil à la regarder évoluer (son rouge à lèvres parfaites Rouge de Rouge, son manteau et sa toque blancs, des petites choses vieillottes, élégantes et incongrues qui offraient à Lancelot l'illusion de convoler avec une diva), il l'avait contemplée en se disant, C'est moi Lancelot qui épouse cette femme, il n'en revenait pas, il aurait aimé que sa mère pût le voir de là où elle était (les limbes ?) et qu'elle le félicitât pour son choix (un choix ?), il savait qu'elle aurait adoré converser avec Irina à propos de l'état désespérant de la planète mais qu'elle l'aurait mis en garde, lui, contre son désir d'épouser une aussi affriolante créature, Elle va te faire tourner en bourrique, aurait-elle dit. Elle aurait immanquablement ajouté, Un homme jaloux comme toi ne choisit pas une femme comme elle, c'est une grosse erreur qui te rendra forcément malheureux, elle aurait ainsi sous-entendu le désavantage dans lequel elle tenait son fils, elle lui aurait proposé diverses consolations accessibles et l'aurait conforté dans sa mélancolie coutumière.

Lancelot avait eu l'illusion de braver quelque chose en épousant Irina.

Lancelot n'avait rien choisi.

Quand ils étaient rentrés chez eux après avoir dîné au restaurant avec Bayer, Tralala et le type du journal – un restaurant macrobiotique, comme il se doit, ils avaient dû aller jusqu'à Milena pour le trouver, on y mangeait des graines et rien qui ne provînt d'un animal, Rien qui n'ait d'yeux ni de dents, avait plaisanté Lancelot, et Irina lui avait caressé l'avant-bras et lui avait annoncé que c'était bien pire que ce qu'il imaginait parce que dans ce restaurant le lait qui servait aux pâtisseries était du lait d'amandes, et qu'il était hors de question de faire entrer un œuf dans la préparation d'un aliment quel qu'il fût –, quand ils étaient rentrés chez eux donc, il avait porté Irina dans ses bras sur le seuil de leur maison, il l'avait déposée sur le divan, elle avait fait valser sa toque, son manteau, ses bas, ses chaussures et sa robe, elle lui avait intimé, Baise-moi (et ç'avaient donc été ses premiers mots de femme mariée prononcés dans leur maison), elle s'était levée et penchée sur la table pour se regarder de profil dans le grand miroir accroché au mur, présentant ses fesses à Lancelot, il avait vu le reflet de ses seins avec leurs aréoles brunes pendre jusqu'à la table et cette vision l'avait violemment excité, il ne s'était pas déshabillé mais il avait pris Irina par-derrière et ils s'étaient regardés faire, il avait aimé voir ses mains sur le cul d'Irina et sa bite qui la pénétrait et aussi son visage dans le miroir et Irina avait pleuré mais c'était chose courante et elle avait ri et ils s'étaient dit qu'ils s'aimaient et elle avait déclaré, Je sors le champagne, et ils avaient trinqué, elle était restée nue sur le canapé, Lancelot avait bu une coupe et Irina avait sifflé le reste, et il avait senti comme elle était triste et bien, il avait tout à coup pris conscience des contradictions dans lesquelles elle se débattait, il avait pensé, Me voici moi aussi démuni et comblé.

Puis il avait songé, Ne l'ai-je pas vue, pendant que je la prenais, se gratter les peaux mortes du pouce avec l'index ? Peut-on vraiment faire ce geste alors qu'on est en train de faire l'amour? S'ennuie-t-elle avec moi et n'est-elle juste qu'une indulgente participante?

Lancelot est seul chez Bayer. Il se creuse la tête. Il tourne en rond et ne sait plus quoi penser du sexe avec Irina (elle demandait après avoir fait l'amour avec lui, C'était bien, le sexe? On avait alors l'impression qu'elle maîtrisait mal la langue, on aurait cru entendre une petite pute russe embarrassée).

Une angoisse diffuse surgit au moment où il se repasse la scène de leur baise de noces. Il tente de visualiser le salon quand il a quitté la maison de Catano. Le grand miroir était-il bien encore contre le mur? Ne s'était-il pas volatilisé? Il gémit faiblement. Comment ne pas finir par se sentir offensé par un monde (ou des sens) aussi inconstant(s)?

30

Bayer révèle très vite deux choses importantes à Lancelot. Comment fabriquer du TNT et le fait qu'Irina et lui-même sont restés pendant plusieurs années des amis intimes sans rien dévoiler de leur relation passée à Lancelot.

Quel genre d'amis intimes ? demande Lancelot.

Bayer hausse les épaules.

On ne couchait pas ensemble si c'est ça que tu veux savoir.

C'est ça que veut savoir Lancelot.

Elle t'aimait profondément, elle ne t'aurait quitté pour rien au monde, elle me parlait de toi sans cesse, elle disait, C'est mon élu. Tu te rends compte ? Elle me disait, Il va me chercher des fraises quand je veux des fraises, il me prend dans ses bras quand j'ai besoin de réconfort, il m'écoute et il me parle, c'est mon élu.

La mère de Lancelot aurait dit, Fourre donc ça dans ta poche et plie ton mouchoir par-dessus.

Lancelot s'interroge, Suis-je capable d'écouter tout ce que cet homme a à me dire ?

Par la suite vient un flot de révélations.

Lancelot s'accroche, il tient bon. Les premières fois il ferme les yeux pour se représenter son trésor, il ferait n'importe quoi pour ne pas oublier son visage, il le reconstruit depuis l'œil gauche (les iris très noirs sous des sourcils exacts, la peau sombre avec des marques brunes sur la tempe (elle disait parfois que c'était dû au soleil et d'autres fois aux carences alimentaires de sa jeunesse quand elle tentait de ne pas peser plus lourd qu'une poignée de coton), les lèvres fines et la mâchoire inférieure légèrement prognathe, ce qui conférait à son visage quelque chose de carnassier et d'imperceptiblement agressif, les cheveux longs et bruns maintenus (dégringolant) en chignon, le menton petit et une juste ossature presque apparente, N'oublie pas, disait-elle, la beauté est une affaire d'ossature), Lancelot craint que le souvenir de sa douce son amour sa précieuse ne s'altère à l'écoute de tout ce que Bayer a à raconter, il est prêt à modifier ce qu'il sait d'elle mais surtout pas à la perdre.

Il se dit, Qu'ai-je appris de si monstrueux finalement ?

Est-ce si terrible d'apprendre que ma femme bien-aimée continuait de fréquenter un ancien amant avec lequel elle avait fait et faisait encore, semble-t-il, les quatre cents coups ?

Voyons voyons.

Puis-je continuer à vivre en sachant cela ?

Puis-je continuer à vivre en sachant qu'elle a préféré m'exclure de toutes ces affaires, me mentir, élaborer des constructions complexes d'alibis et de dissimulations, me mystifier de bout en bout, me duper pour continuer à voir Bayer, lui parler au téléphone en utilisant les ruses d'une femme adultère ? Est-il plus acceptable d'avoir été le tartuffe de la farce puisque coucherie il n'y a point eu ?

Quel genre de commerce entreteniez-vous ? demande Lancelot du ton de celui qui se sent légitime et bafoué.

Rien de coupable, Sire, répond Bayer du ton adéquat. Ou tout au moins pas dans le sens où tu l'entends. Quelque chose qui avait trait à des idéaux politiques.

Cette remarque cloue le bec de Lancelot, le laissant plus démuni encore. Est-il possible d'ignorer ou bien de minimiser à ce point l'engagement politique de la personne avec laquelle on vit ? N'ai-je pas été moi-même coupable d'un tel aveuglement ou d'un mépris si larvé et tenace qu'il m'empêcha de voir clair en ma belle ? N'a-t-elle pas été désespérée pendant tout ce temps de me voir si condescendant sur la question de ses engagements politiques ? Ne s'est-elle pas résignée à me taire la réalité de ses activités parce que dédaigneusement amusé elle me trouvait à chaque fois qu'elle prenait fait et cause pour une nouvelle catastrophe mondiale ?

Dois-je pour autant casser la gueule de Bayer (là, comme ça, pour le salut de mon âme), dois-je lui pulvériser ses dernières dents (et celles qui sont en or), dois-je l'enterrer vivant en ne laissant dépasser du sable que sa tête et lancer mon cheval au galop (mon cheval ?) pour la lui concasser, dois-je lui planter un surin long comme mon bras dans le cœur ?

Lancelot se dit, J'aimerais bien le cogner.

C'est ça oui, lui ouvrir l'arcade sourcilière et regarder pendant quelques jours son nez bleuir puis virer jaune marron, torréfaction, caramélisation, transformation en beurre cramé.

J'adorerais le cogner.

Il regarde Bayer et il se répète, J'adorerais le cogner.

31

Une ombre vit sur le visage de ceux qui ont perdu quelqu'un. L'ombre d'une plante grimpante. Elle croît à leur insu et, quand ils pensent que personne ne les surveille, elle baigne leurs traits d'absence, de gravité et de perplexité. C'est un démon discret qui habite leur visage. Il se cache dès que quelqu'un le regarde.

32

Le troisième soir, quand Bayer ouvre la porte de chez lui, il découvre un Lancelot inerte comme un plâtre qui l'attend assis face à la table, les mains croisées sur le formica jaune pâle et un verre d'eau fraîche posé légèrement trop loin des mains. Bayer le salue et Lancelot demande en guise de préambule (et en posant la question, il se dit, Je n'aurais pas dû attaquer avec ça, il a une grimace contrainte et se sent ridicule mais il ne sait pas comment en débattre autrement, il est très démuni, retourné au limon, chaussé de croquenots, sans nulle grâce, tout bossu et pressé d'avoir une réponse à son interrogation) :

Tralala est-elle la fille d'Irina ?

Bayer, la première surprise passée, se met à rire, il se met à rire si fort que Lancelot se recroqueville comme un bigorneau. Bayer rit et finit par prononcer quelque chose comme, On n'est pas dans un *soap opera*, et Lancelot ne rit pas parce qu'il ne sait pas ce qu'est un *soap opera* et qu'il ne voit pas en quoi cette proposition est plus incongrue que tout ce qu'il a déjà entendu à propos d'Irina depuis la mort (On peut dire « mort » ?) de celle-ci.

Non non non, la mère de Tralala est bien la belle créature rousse que Lancelot a vue en photo sur la commode dans la maison de Bayer.

Irina ne pouvait pas avoir d'enfant, explique Bayer, ça ne tenait pas.

Qu'est-ce qui ne tenait pas ? interroge Lancelot avec une crispation du maxillaire.

Les bébés.

Ils ne tenaient pas où ?

Dans son ventre. (Bayer ouvre le frigo et se sert une bière, il vient s'asseoir face à Lancelot, fait rouler la canette sur son front pour le rafraîchir, il n'a pas l'air de trouver Lancelot particulièrement idiot mais on ne peut pas vraiment savoir ce qui se trame derrière ce drôle de visage raviné, il ajoute quand même comme s'il n'était pas convaincu que Lancelot allait le comprendre :) Dans son utérus. Elle a fait fausse couche sur fausse couche. Ça tenait un mois deux mois et puis elle perdait le bébé.

Elle a voulu avoir des enfants avec toi ?

On était tout jeunes, on faisait n'importe quoi, on s'est quittés, on s'est retrouvés (Bayer boit une gorgée, essuie ses lèvres et grimace). Je ne suis pas sûr que tu aies envie d'entendre tout cela.

Bayer se lève. Il dit, Il faut que je jette un œil au puits. Si les connards d'en face me l'ont pas fissuré à force de forer des parkings souterrains.

Lancelot le suit à l'extérieur. Il aide Bayer à soulever la dalle de béton du puits et à la poser dans la cour.

Tu connais un certain Romero ? questionne Lancelot, les pieds sur la dalle, pendant que Bayer fouille les profondeurs du puits avec sa torche.

Faut que je descende, grommelle Bayer.

Tu peux me répondre ?

Bayer s'assoit sur le rebord du puits et regarde Lancelot.

Romero, c'est le type qui a des labos pharmaceutiques dans tout le pays ?

Oui.

Pourquoi tu me demandes ça ?

Comme ça.

Ils tombent dans le silence.

Lancelot aimerait dire à Bayer quelque chose sur Irina que celui-ci ignore, ça le titille, alors il amorce :

En fait Irina visitait des maisons très régulièrement. J'ai voulu en voir une. Elle avait sauté. Elle appartenait à Romero.

Le type des labos.

Le type des labos.

Lancelot se sent affligé. Impossible de savoir si Bayer connaît déjà l'affaire ou même s'il a participé à la pulvérisation de la maison en question.

Lancelot s'assoit à côté de Bayer sur la margelle, dos au puits. On sent l'odeur obscure de vieux papier et de limace qui sort du puits. Lancelot renverse la tête pour regarder le ciel. Il essuie ses mains sur son pantalon et se met à raconter qu'un homme se faisant passer pour le père d'Irina est venu lui rendre visite à Catano après la mort (toujours beaucoup de prudence en prononçant le mot comme si l'on s'essayait à utiliser un membre fraîchement cicatrisé) de celle-ci.

Son père est mort d'une cirrhose depuis perpète, fait Bayer en hochant la tête.

Ah ah, je m'en doutais.

Et à quoi il ressemblait, le type qui est venu te voir ?

À un général à la retraite.

C'est tout ?

Il se tenait très raide. Soixante ans peut-être. Ou un peu plus. Il la connaissait bien…

Bien comment ?

Je ne sais pas… Il pouvait donner des détails sur son enfance, il m'a parlé du Cric et de toi, il a dit qu'Irina et lui étaient brouillés.

Bien entendu.

Bien entendu, conclut Lancelot.

Les deux hommes restent cois, ils regardent sa majesté le platane, Bayer le désigne, C'est le plus vieux de la ville. Ils retombent dans le silence, Bayer remonte les jambes de son pantalon de treillis jusqu'aux genoux, ses cheveux sont un peu plus sales que la veille, ce qui leur confère une drôle de couleur argentée comme des lanières de vieux cuir, il a l'air tranquille d'un siamois, assis sur la margelle. Il semble n'avoir aucune envie de descendre dans le puits vérifier les lézardes.

Lancelot dit :

Elle savait fabriquer des bombes.

Plein de gens savent fabriquer des bombes, répond Bayer.

Lancelot remarque qu'entre chacune de leurs répliques on pourrait compter jusqu'à cent.

Pas moi, dit-il.

Il y a encore cette pause d'une centaine de secondes.

Je peux t'apprendre, si tu veux, propose Bayer en plissant les yeux comme si la lumière qui clignote dans la ramure le dérangeait.

Lancelot prend son temps pour répondre :

Je ne sais pas.

Il reste à contempler l'arbre de Bayer en se disant, Je vais me plaire ici, il se plonge dans l'observation minutieuse des plaques claires sur le tronc du platane, elles font comme un psoriasis sur les mains d'une vieille femme mais Lancelot y voit des nuages, il les anime selon sa fantaisie éculée, il se laisse aller à la mièvrerie (ce qui est une tendance forte chez lui) en appréciant le trille d'un vulgaire passereau des villes qu'il est prêt à confondre avec un rossignol (et qu'il ne perçoit que ponctuellement entre les bruits de marteau-piqueur du chantier d'à côté).

Je ne sais pas, répète-t-il. Il se sent bien, il a envie de ne plus bouger de là, de rester assis le plus près possible de Bayer parce que parler avec Bayer c'est comme de parler à nos camarades de notre inclinaison secrète quand on est au lycée, quand on évoque sa préférée sans révéler quel statut particulier elle a dans notre cœur, et qu'on a la tête en vrille dès qu'un anodin prononce le prénom de notre amour caché.

C'est un chouette endroit ici, finit-il par dire tout haut.

33

Bayer et Lancelot sont allés ensemble au centre commercial qui occupe les deux premiers étages de la tour Soleil – un immeuble de bureaux aux fenêtres en verre miroir scellé, impossible de les ouvrir, contentez-vous de mettre la clim, d'attraper des bronchites et de faire des trous dans la couche d'ozone.

L'escalator qui monte des parkings est en panne.

Bayer a troqué son nom contre celui de Klaus Meyer. Il aurait pu choisir quelque chose d'exotique comme Pedro de Lucia mais cette modification lui aurait certainement paru être une double entourloupe. Changer de nom, soit, mais préférer adopter un patronyme qui ressemble au précédent pour ne pas transformer son attitude à l'écoute de ce nouveau nom et de cette tromperie répétée plusieurs fois par jour. Il est venu avec tout son attirail de réparateur, accompagné de Lancelot, son assistant porte-caisse à outils.

Il lui a dit, J'ai besoin de quelqu'un avec moi, observe bien comment je m'y prends et tu vas apprendre très vite.

Lancelot réalise qu'il a longtemps pris pour une boutade l'information d'Irina selon laquelle Bayer avait abandonné les braques pour s'occuper d'escalators. À l'époque il n'avait pas réussi à croire tout à fait à une chose pareille.

Et voilà Lancelot présentement accroupi sur le parquet anti-usure d'un centre commercial (lattes de douze centimètres d'épaisseur collées serrées sur le flanc, il y en a pour cent vingt ans d'usage environ, nous serons tous morts ou quasi d'ici là, chacun de nous qui traînons nos guêtres sur ce sol sera redevenu poussière et merde de fourmi mais ce putain de parquet sera encore là à osciller sur ses lambourdes et à narguer nos organes périssables), à côté de Bayer, en treillis noir et tee-shirt rouge lettres bleues floquées Tralala Répar'tout (une étoile à la place de l'apostrophe), Lancelot concentré sur son nouveau métier, si loin des pilules du docteur Epstein et des insinuations de l'inspecteur Schneider qui osait (elle osait !) le soupçonner d'avoir éliminé sa princesse, si loin des nuits interminables et glacées et de la végétation indigente (rien que du sapin du sapin du sapin) de ces contrées du Nord, Lancelot ne comprenant pas lui-même d'où lui vient cette drôle de satisfaction d'avoir retrouvé Bayer, de savoir qu'il avait couché un jour avec son aimée alors même qu'il a toujours été l'homme le plus jaloux qui soit (mais le plus crédule aussi), et de partager son grand malheur avec cet alcoolique artificier.

Au moment de la pause, Lancelot s'assoit sur l'un des bancs de plastique bleu mis à la disposition du public, il mâche le sandwich qu'il s'est apporté (concombre, pain de son) en observant les plantes en pots qui vivotent là et dont la seule nourriture semble être de petites billes de terre cuite, il boit son jus d'orange en canette (goût amer et écume de crabe), puis écoute religieusement les messages enregistrés dans son portable, un doigt dans l'oreille afin de ne pas être perturbé par les musiques guimauves du centre commercial. Il a un message de l'inspecteur Schneider qui lui demande de prendre contact au plus vite avec elle, elle dit qu'il est injoignable, qu'il lui faut être à la disposition de la police, qu'il n'y a rien de nouveau dans l'enquête mais qu'elle a besoin de lui parler, elle dit même qu'elle a envoyé quelqu'un chez lui, et qu'ils ont pu voir qu'il avait débarrassé le plancher, ce qui lui semble suspect (la voix est agacée et menaçante), il a un message du docteur Epstein qui rappelle à Lancelot qu'il lui faut retourner le voir pour son traitement (la voix est agacée et culpabilisante). Et une foule de messages de Marie Marie. Les écouter les uns après les autres est surprenant. Sa voix change, elle est anxieuse sur certains puis redevient espiègle sur d'autres, elle lui demande s'il veut toujours vendre sa maison parce qu'il se pourrait bien qu'elle lui ait trouvé un acquéreur, elle se plaint quand elle sort d'un rendez-vous avec un client agressif, elle fait des remarques sur la neige et le ciel étoilé, elle évoque son patron, son fils, le père de son fils et son bien-aimé (qui sont, semble-t-il, deux personnes différentes mais cette distinction n'est pas aussi claire qu'elle paraît l'être), elle évoque sa mère (qui habite très loin d'elle, l'appelle la nuit à cause du décalage horaire mais reste muette au téléphone), elle parle parfois de la mort, de cette douleur qu'elle sent là dans la poitrine, puis elle passe à autre chose, elle lui téléphone depuis sa voiture et les restaurants où elle déjeune, il entend un brouhaha de voix ou de moteur. Plus les messages se rapprochent du moment présent, plus ils se font personnels et, paradoxalement, anonymes, elle ne s'adresse plus à Lancelot, elle dépose dans une petite boîte sa tristesse du jour et referme délicatement le couvercle pour ne pas la réveiller.

Lancelot éteint son portable sans effacer les messages de Marie Marie. Puis il retourne auprès de Bayer qui traficote toujours du côté de l'escalator béant.

Tu vas le réparer ? chuchote Lancelot comme si des micros ennemis étaient planqués dans les plantes vertes neurasthéniques.

Bayer hausse les épaules et le regarde en fronçant les sourcils comme pour percer à jour les projets de Lancelot.

Tu crois quoi ? répond-il. Il faut bien que je gagne ma vie.

Puis il sourit comme si l'engouement débutant de Lancelot pour les affaires clandestines l'amusait.

Et Lancelot, peut-être déçu ou alors plus sûrement rassuré, se dit, C'est mon nouveau métier. Mon Nouveau Métier. Et il se sent le cœur assez léger. Il se met à apprécier la compagnie de Bayer et ses allusions régulières à sa bite (C'est long et dur aujourd'hui, ou bien, Tu bandes bien ce gros tendeur rose et tu laisses partir le coup), goûtant même la version galerie commerciale de *Hotel California* qui passe en boucle dans les haut-parleurs, affectionnant la présence feutrée des vigiles qui viennent plaisanter avec Bayer et repartent en arborant leur brassard Sécurité avec volupté, Lancelot se sent à sa juste place, ne souhaitant presque plus en savoir davantage sur Irina, trouvant de moins en moins indispensable d'annoncer à Bayer que quelqu'un a empoisonné Irina avant de la précipiter du haut du pont, ne désirant pour le moment ni faire ni subir d'autres révélations, se contentant de digérer calmement ce qu'il a appris jusque-là.

34

Au début vivre avec Irina avait pu s'apparenter à un supplice.

Ce n'était pas une chose si simple de s'être choisi une femme qui avait tout d'une écuyère de cirque. La beauté d'Irina parfois embarrassait Lancelot.

Ç'avait surtout été le cas alors qu'ils vivaient encore à Camerone. Parce qu'elle y connaissait du monde et que c'était difficile d'ignorer qu'Irina avait vécu dans cette ville avec d'autres hommes, qu'elle avait couché avec eux, fricoté avec certains, entretenu des relations presque intimes (juste des confidences et des gloussements complices au-dessus d'un café crème) avec d'autres, parce qu'il était toujours possible qu'elle en croise un dans la rue et que, la nostalgie étant ce qu'elle était, ils auraient pu passer un moment à évoquer le passé avec de légers sourires flottant sur leurs traits, et quand elle serait rentrée, Lancelot aurait perçu ce changement, comme une lumière qui s'orienterait différemment, elle aurait dit d'un ton détaché (parce qu'elle savait qu'il fallait avoir un ton détaché pour dire une chose pareille à Lancelot, parce qu'elle n'aurait pas eu le cœur de lui cacher sa rencontre fortuite mais qu'elle aurait voulu prévenir toute combustion calcination oxydation de sa part), elle aurait donc dit, en retirant ses sandales, ou bien en se lavant les mains, depuis la cuisine, pour que sa voix porte jusqu'au salon (et afin que Lancelot ne voie pas son visage et ne surprenne pas les efforts qu'elle faisait pour prendre ce ton justement détaché), elle aurait dit, J'ai croisé Charles, ou bien (parce que les gens avaient de drôles de noms ridicules dans le passé d'Irina), J'ai croisé Minimax ou Tororo, et Lancelot aurait senti son cœur se remplir d'acide, il lui en aurait voulu (de ne pas avoir évité Tororo ou Minimax ou bien peut-être d'avoir eu une vie avant lui) et la soirée aurait été irrémédiablement gâchée.

Il y avait aussi le fait non négligeable que la clémence des saisons de Camerone incitait les femmes (et obligeait Irina) à porter des tenues pratiquement transparentes (à se promener presque nue). Lancelot tentait de lui faire entendre raison le matin en la mettant en garde contre ce fond de l'air frais et sournois qui allait la prendre par surprise au cours de la journée si elle ne mettait pas une écharpe ou, mieux, si elle n'échangeait pas ce cache-cœur bizarrement échancré contre un col roulé bleu marine. Irina, en général, ne répondait pas aux remarques de Lancelot, elle continuait de se préparer à sortir comme s'il lui avait parlé sur une fréquence qu'elle ne percevait pas, elle l'embrassait et s'en allait à ses rendez-vous et Lancelot restait dans le salon, les yeux écarquillés, marri et consterné.

Irina cherchait régulièrement des boulots de montage en attendant des fonds pour des documentaires qu'elle avait proposés. Lancelot avait du mal à ne pas fantasmer sur ce à quoi ressemblait une salle de montage, la connivence qui naissait entre Irina et ses *alter ego* dans un espace aussi restreint et mal éclairé.

Ç'aurait pu être déjà tout à fait suffisant en matière de torture.

Mais le pire c'étaient les soirées où Irina l'emmenait. La perspective de passer son temps avec des connaissances d'Irina, isolé dans la cuisine d'appartements étriqués, ou dans le meilleur des cas sur un balcon envahi de plantes grasses, à boire des punchs à la framboise en attendant qu'elle cesse de danser ne lui souriait guère. Mais l'idée de la laisser y aller seule ne lui convenait pas plus.

Ils arrivaient chez des inconnus avec un peu de retard parce qu'il avait mis beaucoup de mauvaise volonté à passer une chemise potable, que ça pouvait lui prendre des heures, qu'il espérait, en temporisant de cette façon, convaincre Irina que sortir et se rendre dans un endroit aussi bruyant et bondé ne pourrait en aucun cas s'apparenter à une soirée agréable. Elle l'avait attendu patiemment sur le pas de leur porte comme si elle n'avait pas compris de quoi il retournait, elle avait enfilé des talons si pointus et parfaits qu'il en aurait gémi de désir et une robe si décolletée qu'il en aurait pleuré de désespoir, elle jouait avec ses clés en l'attendant, ce cliquetis transperçait l'estomac de Lancelot, il se sentait coincé et il était à la fois sous le charme de sa belle et totalement accablé.

En général, ils n'échangeaient pas un mot sur le chemin. Elle lui prenait la main mais ne disait rien. Ils montaient dans un tramway, le bruit et la foule leur évitant toute confrontation. Et quand ils sonnaient à la porte des amis d'Irina (et déjà on entendait les basses étouffées d'une sono adipeuse), elle lui souriait (d'un pauvre sourire, certes, mais quelque chose qui disait, Lancelot l'espérait, Je tiens à toi, je ne t'en veux pas, et Lancelot voulait se repentir de leur mésintelligence mais il était trop tard), leur hôte ouvrait la porte, reconnaissait Irina, poussait des cris de belette, Irina se mettait elle-même à glousser, elle parlait tout à coup espagnol ou mandarin, ou n'importe quoi d'autre, Lancelot la regardait se métamorphoser, il se sentait expulsé à la vitesse de la lumière au fin fond de la galaxie, elle se mettait à sautiller, et ils pénétraient dans le lieu surpeuplé (qui n'était pas un appartement mais deux ou trois chambres d'un foyer aux murs abattus à la masse).

Lancelot se retrouvait alors en présence d'une bande de gauchistes, militants, écologistes, réfugiés, tous en train de boire et danser sur place, et parfois même il y en avait un qui chantait, et Lancelot voulait disparaître, il y en avait un qui chantait, c'était effroyable, et on s'extasiait ou on ne l'écoutait pas, et Lancelot se disait, Le monde s'en va à vau-l'eau. Lancelot échouait dans la cuisine communautaire sur le palier, les fesses qui prenaient le frais posées sur le rebord de l'évier, discutant avec un éditorialiste nain dont le nom lui disait vaguement quelque chose, et il voyait Irina passer dans son champ de vision et il n'arrivait plus à se concentrer sur ce que lui disait le journaliste, il entendait Irina parler à ses amies, elle avait un verre à la main, elle lui faisait un petit signe et il voyait à son regard qu'elle était complètement défaite, il aurait voulu la suivre mais il ne pouvait pas, il devait lui faire croire qu'il s'était lié d'amitié avec l'éditorialiste nain, il l'apercevait qui dansait dans le couloir puis de nouveau qui revenait vers lui, elle l'embrassait en passant et continuait de jacasser avec ses copines, il saisissait parfois une bribe de conversation et il se sentait alors à deux doigts d'un abîme vertigineux, il avait l'impression de feuilleter un magazine de filles, une page vous interpellant : Doit-on avoir peur de la fonte des glaciers ? et la double page suivante vous proposant les meilleures thalassos du bout du monde.

Il se disait, Ce sont des femmes modernes.

Et tandis que l'éditorialiste nain continuait de parler très vite comme s'il avait peur qu'on ne lui coupe la parole, Lancelot se répétait, Ce sont des femmes modernes, et le type ne respirait plus entre chacune de ses phrases, de peur qu'on ne lui coupe la chique, et Lancelot, qui n'écoutait pas et savait ne pas écouter avec un certain brio tout en faisant mine de, se répétait, Ce sont des femmes modernes, comme s'il avait touché du doigt une vérité profonde.

Il n'avait jamais connu ce sentiment de désarroi et d'abandon avant de rencontrer Irina. Mais il devinait que ça n'avait pas grand-chose à voir avec elle. C'était juste une bête qui habitait là, tapie dans sa jungle, et qui avait attendu la coïncidence adéquate pour sortir des taillis.

Quand ils s'installèrent à Catano, les choses se calmèrent, la jalousie de Lancelot se transforma simplement en un besoin de localiser précisément Irina. Quand elle partait pour l'étranger, il ne se sentait pas particulièrement abandonné, il ne faisait que l'attendre, il savait maintenant qu'elle reviendrait, elle était ponctuelle et attentionnée, elle l'appelait avec régularité. Il craignait seulement qu'elle ne croise un autre homme, il ne faisait qu'avoir peur des baises épisodiques, des sortes de baises de fortune, un truc vaguement hygiénique compris dans l'idée qu'il se faisait des voyages. S'il se mettait à penser à ça, son esprit tournait en rond et moulinait des tonnes d'images hachées de muqueuses et d'organes suintants, alors il avait appris à les tenir à distance, c'était comme un piège dans lequel il ne lui fallait plus tomber. Il marchait à pas comptés les premiers jours après le départ d'Irina pour une destination lointaine, il était précautionneux et attentif aux propres pulsations de sa pensée, il sortait et marchait dans le froid très tôt, passait sur le pont de l'Omoko et regardait le soleil se lever, il traversait la forêt de Catano et s'en revenait tout nettoyé de ses soupçons. Parfois, dans ces premiers jours, alors qu'il était encore très fragile, il tombait sur une boîte d'allumettes sur l'étagère au-dessus de l'évier, une boîte d'allumettes qui venait d'un bar d'une ville lointaine, et il se demandait comment elle avait atterri là, si c'était Irina qui l'y avait déposée (et dans ce cas avec quel homme elle était allée dans ce bar parce que nécessairement elle ne pouvait y être allée seule et que son acolyte du moment était obligatoirement un homme) ou bien si c'était un représentant en machins ménagers, en fenêtres aluminium ou en moquettes anti-acariens, venu en son absence dans leur maison, un jour où Lancelot était parti faire une course, qui, en plus de fumer dans le salon en abandonnant sa boîte d'allumettes, aurait pris Irina sur le lit conjugal (ou à côté).

Lancelot se rendait compte qu'il avait un problème avec les objets. Il les laissait pénétrer son cerveau et circuler dans ses sentiments, il arrivait mal à créer des frontières entre ce qu'il était et l'hostilité des choses.

Alors il prenait un ou deux médicaments sans danger et il se calmait et les jours d'après il était redevenu un homme plutôt serein – celui qui avait contemplé les opossums dans le camphrier de Camerone.

35

Lancelot dort dans le lit de Bayer.

Bayer dort sur le canapé.

Il dit que le salon est continuellement plongé dans une épaisse brume de Craven et qu'il ne peut décemment imposer à Lancelot d'y passer la nuit.

Le salon donne sur l'extérieur. Et quand on vient de la chambre, il faut le traverser pour sortir. La chambre ne dispose que d'un minuscule soupirail avec des barreaux, ce qui lui confère un air de cellule de moine, le sol est en béton, recouvert d'un tapis de coco si rugueux que le fouler pourrait passer pour une pratique zen.

C'est un bon endroit, a dit Bayer.

Et Lancelot s'est demandé, Un bon endroit pour quoi ?

La nuit, on entend le chuintement de l'autoroute, les crissements des trains de marchandises sur la voie ferrée, et, lorsque l'aube ne pointe pas encore, le réveil bruyant des emplumés du platane, un tintamarre de cris et de disputes et de feuillages froissés et de règlements de comptes et d'odes au petit matin comme dans une comédie musicale des années fastes.

À cinq heures, Lancelot se réveille. C'est l'heure des bêtes sauvages. C'est inscrit là, dans sa poitrine et dans les méandres les plus ténébreux et archaïques de son cerveau. Lancelot se réveille d'un coup. Vérifie l'heure en tâtonnant sur le sol et en éclairant les chiffres digitaux de la montre qui gît là, s'extasie sur sa propre ponctualité et reste totalement immobile, il s'habitue à l'obscurité, contrôle la progression des fissures sur le plafond, y décèle des profils de sorcière, se concentre sur la sensation des draps sous ses paumes bien à plat, écoute la respiration bruyante de Bayer qu'on peut percevoir à travers la porte, et compte les secondes pendant ses apnées, il savoure le luxe de n'avoir aucune attache, de n'avoir plus personne auprès de lui qui peut le rendre malheureux, il apprécie simplement de savoir quelqu'un sous le même toit que lui, ça donne un goût particulier à sa solitude. Lancelot prise ou tente de priser l'étrange paix qu'il a trouvée en ce lieu.

Tout lui semble compliqué et étincelant comme s'il avait découvert une grotte dans un glacier ou qu'il avait été piégé dans les entrailles d'une horloge suisse.

Ça scintille mais il n'y comprend rien.

Cette nuit-là, à cinq heures pile, Lancelot se réveille, connaît cet instant de suave vertige où l'on ne sait pas où l'on est, sent la raison et la mémoire reprendre forme et contours, et écoute la pulsation de la nuit alentour.

Quelqu'un chuchote à côté.

Il tend l'oreille.

Il se lève le plus discrètement possible. Il entend le frigo cliqueter et ronronner. Il marche pieds nus sur le coco abrasif, retient sa respiration, s'arrête au milieu de la pièce, comme piégé à Un deux trois soleil, persuadé qu'on l'a entendu, qu'on va surgir et lui dire de se mêler de ce qui le regarde, qu'on est déjà bien bon de l'héberger vu qu'il est un peu perdu, le Lancelot, dans sa vie qui part à vau-l'eau. Le chuchotement reprend, puis le bruit d'un briquet, une aspiration, le souffle chiffonné de la cigarette qui se consume (du papier qui brûle), et un chuchotis plus bas qui répond à l'autre, quelque chose qu'on pourrait imaginer ne pouvoir entendre, l'infrason que les éléphants produisent dans la caisse de résonance entre leurs yeux, quelque chose de si bas que ce ne sont pas vos oreilles qui l'entendent mais votre cage thoracique qui vibre.

Lancelot jette un œil par l'embrasure de la porte.

Il voit Bayer, assis sur sa chaise en fer, en équilibre sur les deux pieds arrière, se balançant paisiblement en fumant, les chevilles posées sur le rebord de la fenêtre ouverte. À côté de lui, un homme assis mais le buste penché vers le sol, les avant-bras posés sur les cuisses, dans une attitude d'affliction ou de très grande fatigue.

La silhouette est sèche et raide comme une trique.

Lancelot sent réellement le léger sursaut de son cœur dans sa poitrine quand il reconnaît la silhouette.

C'est Paco Picasso.

Ou quel que soit son vrai nom.

Il essaie d'entendre ce qu'ils se disent, leurs paroles sont entrecoupées de longs silences durant lesquels chacun se plonge dans la contemplation du platane près du réverbère, Lancelot perçoit le prénom d'Irina, il se dit, Ce type est vraiment le père d'Irina ? puis il se reprend, Non bien sûr. Il perçoit son cerveau qui s'active comme une calculatrice. Il les entend rire de concert, très discrètement et très brièvement, il pense, Ils se moquent de moi, de nouveau ils se taisent, et Lancelot se sent piégé dans son immobilité de sel. Paco est un ancien amant d'Irina, se dit-il. Cette pensée lui fait l'effet d'une lampe qu'on allume dans l'obscurité. Ces deux-là semblent se connaître depuis longtemps. Lancelot les regarde avec attention. Il pense, Peut-être bien qu'un jour mon Irina a quitté l'un pour l'autre. Il trouve alors exemplaire leur pacifisme à la lumière de cette nouvelle donnée. Il est jaloux de leur complicité et de quelque chose aussi qui a trait à la virilité, quelque chose de confus qui l'exclut du jeu.

Il se dit, Mon Irina, ma belle, ma douce, mon poisson, mon amande, ma gazelle.

Puis il pense, Ce sont d'anciens compagnons de route, des vieux routards du Cric.

Il essaie de se souvenir, Paco Picasso était-il le type qu'il avait croisé chez Irina le jour où il s'était pris une chaussure à talon sur la tête ? Cette tentative de sa mémoire l'épuise, il a envie d'aller s'asseoir sur le rebord du lit pour réfléchir plus à son aise, se reposer et s'endormir de nouveau mais il ne peut se résoudre à les quitter des yeux. Il se dit, Elle a couché avec cet échalas à tête d'assassin ? Il pense, Mon Irina. Il secoue la tête avec une infinie mansuétude comme si elle était devant lui et qu'il lui pardonnait une bêtise de gamine – comme si elle avait sali sa nouvelle robe avec le vert de l'herbe fraîche.

En venant le voir à Catano, ce type avait juste voulu savoir quelle tête avait le mari d'Irina.

Juste ça.

De toute façon, je m'en fous.

Lancelot bat en retraite dans la chambre. Il se sent épuisé. Il voit les secrets d'Irina comme une forêt feuillue et habitée – les arbres sont en fait des pattes d'échassiers rigolards.

Je m'en fous.

Lancelot s'assoit sur le bord du lit et se laisse retomber en arrière sur le matelas.

Je m'en fous.

Les hommes se taisent là-bas près de la fenêtre, il n'y a tout à coup plus un bruit dehors. Lancelot perçoit le silence enchanté de la nuit.

C'est comme si le sommeil des choses se faisait si intense qu'il allait réussir à l'assoupir.

36

Deux heures après, Lancelot se lève en se demandant où il se trouve, s'il a rêvé et quel jour de la semaine on est. Il fait à peine jour et il y a déjà du bruit à côté. Lancelot s'approche de la porte de sa chambre. On tire des objets lourds sur le sol. Ça produit un bruit de raclage de poussière, vieilles savates sur béton de garage.

Il jette un œil par le trou de la serrure, il se revoit à six ans en train d'espionner sa mère dans la salle de bains, excité et dégoûté et terrorisé.

Il voit Paco faisant glisser sur un diable des caisses en bois et les transportant à l'extérieur.

Il a tué Bayer et il lui pique son trésor, se dit Lancelot.

Paco fait plusieurs allées et venues. Il finit sa clope qui se consume dans le cendrier sur la table.

Putain, faut que j'appelle la police.

Paco se poste à la fenêtre et il finit sa cigarette en contemplant le platane royal. Il est parfaitement immobile.

Les policiers sont mes amis.

Puis il a l'air de reprendre le fil de ses pensées. Il éteint sa cigarette sous le robinet de l'évier.

Les policiers sont là pour m'aider.

Quelqu'un l'interpelle à l'extérieur. Pas trop fort. Parce que c'est le petit matin et que Lancelot est censé dormir. Paco souffle, J'arrive, j'arrive, et Bayer n'est pas mort assassiné, il essaie de faire entrer dans le coffre de son van toutes les caisses que Paco a extraites de la maison.

Mais d'où viennent-elles, ces caisses ? Lancelot voit l'échelle posée le long du mur de la cuisine. Il réussit à lever les yeux et aperçoit la trappe ouverte du grenier. Il n'avait pas remarqué la trappe avant cela. Parce qu'elle était dissimulée entre les plaques du faux plafond et parce que Lancelot n'est pas homme à chercher les trappes secrètes d'accès à des greniers clandestins.

Lancelot reste, cassé en deux, les mains sur les genoux, à les espionner par le trou de la serrure. Ils sont montés dans le van. Lancelot se dit, Je vais les suivre. Il se sent excité et dégoûté et terrorisé. Il enfile un pantalon et saute dans la pièce d'à côté dès que le van a démarré. Il décolle le vélo de Bayer du mur, il attend qu'ils aient fait cinquante mètres et il sort, empoignant la bicyclette comme si elle était en fibre de carbone, s'étonnant lui-même de son énergie nouvelle, il est rapide, libre et tout à fait réveillé. Il enfourche le vélo et il pédale derrière eux.

L'air est frais et il fait encore assez sombre pour que suivre les phares du van soit un jeu d'enfant. Lancelot sent ses joues se rafraîchir et se lisser, ses poumons peiner puis se mettre au diapason de son effort. Cela fait si longtemps qu'il ne s'est pas adonné à un quelconque exercice physique. Il se met à sourire sur son vélo, il jubile délicieusement, mais il cesse de sourire parce que le vent lui fait mal aux dents et dessèche ses gencives.

Ils traversent Camerone et la ville prend une teinte grise et brumeuse retrouvant sa propre lumière au moment où les réverbères s'éteignent comme si l'on déchirait le voile d'organza qui les sépare du monde alentour.

Au bout d'une demi-heure, le van pénètre sur le parking d'un grossiste en nourriture pour animaux. Lancelot s'arrête derrière le grillage, sans descendre de son vélo, accrochant simplement ses doigts dans le treillage pour maintenir son équilibre. Il se sent vivant et émoustillé. Il les voit se garer, descendre du véhicule, ouvrir le coffre, extraire les caisses du van et en transporter plusieurs dans la voiture de Paco – que Lancelot reconnaît d'un seul coup de son nouvel œil de détective. Puis ils ont l'air d'attendre quelque chose, ils plaisantent, regardent le ciel, Ces deux types ont vraiment des gueules de brigands, allument une cigarette, Ils ne transportent pas des explosifs sinon ils seraient plus prudents, une voiture arrive sur le parking, Pourquoi les femmes sont-elles toujours attirées par ce genre de types, elle se gare près d'eux, Ne sont-elles pas censées se tourner vers des hommes rassurants prêts à perpétuer l'espèce, un homme en sort, ils se saluent, et il y a encore le manège des caisses qui passent d'un coffre à l'autre, Il me semble bien que les hommes les plus virils (ou considérés comme tels) ne sont pas les meilleurs candidats procréateurs, le nouvel arrivant repart aussitôt l'opération terminée, À moins que nos corps animaux ne dictent aux géniteurs de ce genre, ceux qui attirent les femelles, d'abandonner leur conquête dès leur affaire faite, Paco et Kurt se serrent la main et se donnent de petits coups sur l'épaule.

Lancelot s'embourbe.

Paco s'en va au volant de sa voiture puis c'est le tour de Kurt Bayer.

Lancelot n'a plus l'énergie de le suivre à vélo. Il se demande même comment ç'a été possible à l'aller. Il se remet péniblement en selle et fait le chemin du retour abîmé dans ses pensées. La circulation commence à se faire plus dense et Lancelot pédale jusqu'à la maison de Kurt Bayer, tête basse et genoux rouillés.

Quand il arrive, Kurt Bayer boit son café dans la cuisine, les pieds sur le tabouret, Lancelot entre et pose le vélo contre le mur, exactement là où il l'a trouvé. Kurt Bayer le regarde en fronçant légèrement les sourcils :

T'étais sorti ? fait-il.

J'étais sorti, répond Lancelot.

Il hésite entre plusieurs figures à faire, bonne ou mauvaise, il reste là un moment, un rien dégingandé et passant d'un pied sur l'autre, les bras ballants et les fesses un peu meurtries par l'exercice qu'il s'est imposé de si bon matin, il pousse un soupir tout faible et il s'assoit à côté de Bayer.

Je ne comprends pas pourquoi Irina ne m'a jamais parlé de ce qu'elle traficotait avec toi, fait Lancelot en secouant la tête, de quoi avait-elle donc peur ?

37

Il y a une photo d'Irina chez Bayer. Elle sert de marque-page à un livre sur la révolution bolchevique, coincée entre les pages 122 et 123. Sur cette photo Irina a quelque chose comme dix-huit ans, un béret sombre sur le crâne, le regard noir et les cernes idoines. Elle rit face à l'objectif. Elle arbore une dentition carnassière et fixe le photographe en brandissant un seau de colle d'une main et un grand pinceau de l'autre. Elle pose devant un mur de brique sur lequel elle vient visiblement de coller des affiches. La glu encore humide empêche qu'on puisse lire quoi que ce soit sur les affiches. Ça ne fait que briller et réfléchir le flash comme autant de miroirs. On voit juste une Irina conquérante au milieu de grands éclats aveugles.

38

C'est un dimanche, deux jours plus tard, ils prennent leur petit déjeuner ensemble, tous deux face au platane, ils passent leur temps face à ce platane finalement, Lancelot se balance en soupirant devant son thé et Bayer est occupé à émietter des biscuits du bout des doigts en lisant le journal, buvant son café, tirant sur sa clope et se tortillant l'oreille.

Lancelot remarque que la table basse à côté du canapé n'est plus là. Il la cherche des yeux. Il gémit intérieurement, Ça recommence ? Il tente de se concentrer sur autre chose que sur l'affligeante instabilité des objets.

C'est bien quand c'est silencieux, commence Lancelot.

Bayer ne répond pas.

Le chantier, je veux dire, précise-t-il.

C'est dimanche, c'est normal, fait Bayer.

Ça reprendra demain…

Ou pas.

Ou pas ?

Qui sait ? (Bayer plie son journal, approche le tabouret avec ses pieds, ce qui produit un bruit de sable raclé sur béton, et y dépose ses chevilles.)

Il doit y avoir des bestioles sur ce chantier, fait Lancelot, il y en a toujours, ça les déloge alors elles furètent la nuit et d'autres prédateurs rappliquent pour festoyer…

C'est Irina qui t'a appris ça ?

Non (mouvement de recul de Lancelot, repli sous carapace).

Ils restent silencieux un moment. Lancelot n'a posé aucune question concernant Picasso Paco. Le fait de respecter ce devoir de discrétion et de secret semble lui donner le droit de taire ce qu'il a envie de taire. Il ne veut rien révéler du poison qui a laminé Irina avant qu'elle ne fasse le grand saut, il croit que, tant qu'il gardera cette information pour lui, le rapport de force ne sera pas définitivement en sa défaveur (en pensant à cela il se dit, Il n'y avait pas d'airbag dans la putain de bagnole de Bayer, il n'y avait rien pour atténuer le choc du visage de ma belle contre le pare-brise, il se dit, Connard, tu ne pouvais pas acheter une voiture avec un airbag). À ce moment-là, comme s'il avait suivi les méandres de la réflexion de Lancelot, Bayer demande :

Ils n'ont rien trouvé dans le coffre de ma bagnole ?

Lancelot se plonge dans le bruit que produit la moitié des feuilles du platane se frottant à l'autre moitié des feuilles du platane. Il sent tout à coup l'atmosphère de ce dimanche matin chargée d'électricité, une légère montée d'adrénaline lui pince le cœur, il ferme les yeux, c'est comme une dispute qui couve. Il pense, Ce type m'agace. Alors il dit :

Tu m'agaces.

Les flics ne t'ont parlé de rien ?

Tu m'agaces.

Quand j'ai filé la bagnole à Irina à l'aéroport il y avait du matériel dans le coffre.

Tu m'emmerdes.

Parce que théoriquement, continue Bayer, il aurait dû y avoir des cartons de boîtes à musique.

Des cartons de boîtes à musique ?

Celles qui tournent au-dessus du lit des bébés pour qu'ils s'endorment sur Schubert.

Bah tiens.

Il aurait dû y avoir des micros et des radiocassettes roses pour les gamines, il aurait dû y avoir des livres pour enfants avec couvertures en paillettes et en mousse. Ça ne te dit rien, Lancelot ?

De toute façon tu m'emmerdes.

Parce que si les flics ont écouté les boîtes à musique ils ont dû entendre qu'on avait remplacé Schubert par *Bella Ciao*, ils ont dû remarquer qu'on avait échangé les bluettes lobotomisantes des radiocassettes par des chants révolutionnaires.

Bayer attend un instant que l'information prenne toute son ampleur dans l'esprit de Lancelot. Celui-ci se demande, Mais qu'est-ce qu'il me veut ? Pourquoi il se met à me parler, celui-là ?

Ils ont même peut-être ouvert les livres, poursuit Bayer, et constaté que les histoires qu'on racontait là, ce n'était pas *Boucle d'or* mais un texte avec de belles illustrations très colorées qui parlait de gamins prenant les armes à l'école pour tuer leurs professeurs, des histoires d'oursons qui se faisaient massacrer sous les yeux de leur maman, celle du bébé cormoran englué dans la marée noire…

Bande de dingues.

Mais rien n'est moins sûr, se rectifie Bayer. Les flics n'ouvrent pas les livres et n'écoutent pas les boîtes à musique.

Je pense qu'ils ont dû le faire.
Je ne crois pas.
Bande de cinglés vaniteux.
Cinglés relativement inoffensifs et peu belliqueux, glousse Bayer. Remarque bien que c'était plus simple de placer ces livres dans les librairies et les bibliothèques…
Bande de dingues.
Et de mettre en rayon ces jouets gentiment subversifs…
Bande de dingues.
C'était plus simple et plus amusant que d'empêcher les chimiquiers de couler dans l'Atlantique en vidant leurs cuves de poison. Tu ne trouves pas Lancelot ? (Et là, Lancelot se dit encore, Pourquoi tu me racontes tout ça ce matin, connard ? Pourquoi tu vides ton sac ?) C'était plus efficace que de partir sur des barcasses et de s'agiter pour sauver les baleines face aux navires japonais.
Moins dangereux aussi, ricane Lancelot.
Moins dangereux peut-être. Même si le *nec plus ultra* restait de libérer les animaux des labos et de plastiquer deux trois choses pour ne pas perdre la main.
Plastiquer ?
Plastiquer.
Lancelot se renfrogne. Il croise les bras sur sa poitrine en les serrant très fort et très haut. Lui reviennent en mémoire les images d'un documentaire d'Irina (le premier ?) qui parlait des nasiques de Bornéo mourant de malnutrition et de soif à cause de la déforestation. On y racontait l'histoire de deux frères chinois qui détruisaient la mangrove pour planter des palmiers à huile et qui tiraient sur les singes sans dissimuler le moins du monde le plaisir que ça leur procurait. Il y avait cette

image d'une mère nasique berçant la dépouille de son bébé et continuant, même s'il était mort et sec comme une momie, à le débarrasser de ses parasites. Irina pleurait en regardant ce film, les larmes lui dégoulinaient sur le visage alors que c'était elle qui l'avait tourné et monté, qu'elle l'avait vu cent fois et qu'elle avait dû le montrer à Lancelot une demi-douzaine de fois durant le temps qu'ils avaient passé ensemble. Elle s'asseyait par terre, la télécommande à la main et elle pleurait. C'était comme si elle se faisait, à chaque visionnage, une piqûre de rappel.

Irina n'est pas morte noyée, fait Lancelot.

Je sais. J'ai lu le rapport d'autopsie.

Lancelot se sent creux et vide, il croit boire quelque chose de mentholé et acide qui lui attaque les viscères. Je voudrais jeter l'éponge, se dit-il.

Qui était le type avec toi l'autre nuit ? demande Lancelot sans regarder Bayer.

Quel type, quelle nuit ?

Il y a deux nuits. Tu n'étais pas tout seul. Le bruit de votre conversation m'a réveillé.

Bayer se tourne lentement vers Lancelot comme s'il surveillait ses gestes face à un fou dangereux. Il prononce, Hein ? en laissant traîner la nasale et en avançant le cou comme une tortue qui tenterait de s'extraire de sa carapace.

De quoi tu parles ? émet-il.

Lancelot respire avec mesure et fixe le platane avec un désespoir grandissant.

Je me sens manipulé, prononce-t-il prudemment.

Mais non… le rassure Bayer avec mollesse.

Si. Je me sens manipulé (il fait une pause et une grimace comme s'il était en train d'avaler un mets particulièrement indigeste. Il reprend :) C'est comme si elle m'avait endormi avec des breuvages empoisonnés et des paroles doucereuses…

Bayer ne répond pas, il a l'air de se recroqueviller, il devient grimaçant et clos. Lancelot le regarde rétrécir, il pense à une paume qui se referme en poing.

C'est moche, finit par prononcer Bayer.

Et Lancelot se demande de quoi il parle.

Bayer se lève et sort, il laisse la porte ouverte et Lancelot le voit s'éloigner dans la rue – des ferrailleurs et des cabanes comme celle de Bayer, l'autoroute qui longe les faubourgs, ses protections multicolores antibruit en plastique sale juste au-dessus qui oscillent faiblement et grincent comme les branches d'un vieux prunier. Bayer a enfoncé les mains dans les poches de son short, il traîne ses savates sans avoir enfilé les talons et on voit ses cheveux bouger autour de sa tête comme des posidonies. Il marche lentement sur le trottoir. Lancelot se souvient de sa mère qui sortait parfois de chez eux pour pleurer plus à son aise ou pour cesser de pleurer puisque les larmes se tarissaient d'elles-mêmes quand aucun spectateur elle n'avait. Lancelot le laisse partir, il reste assis immobile, respirant avec prudence le dioxyde de carbone et le plâtre en suspension du bâtiment d'à côté, tentant de freiner le rythme de son cœur, se concentrant sur le chant des merles albinos du coin. C'est sa technique, il fait le mort.

39

Le lundi ils réparent les escalators de l'aéroport – plusieurs sociétés se partagent le marché et Bayer a réussi à obtenir une miette du gâteau.

Ils ne se parlent pas, et quand ils rentrent Lancelot va tout droit dans sa chambre, sans manquer de remarquer que le tabouret de Bayer, celui où il posait les pieds pour contempler à loisir son platane, a disparu, Lancelot mange une plaque de chocolat allongé sur son lit, il se dit, Le tabouret a disparu, les objets ici aussi sont contaminés, je n'y suis pour rien et pourtant les objets continuent de se volatiliser, il aimerait vérifier la chose auprès de Bayer, mais lui adresser la parole pour un motif aussi incongru passerait pour une maladroite tentative de rapprochement, Bayer écoute la radio à côté, on entend régulièrement le chuintement et le claquement d'une canette qu'on ouvre, Lancelot se sent tendu et en colère comme après une dispute domestique (Impossible de dormir, c'est ta faute ta faute ta faute). Il reste allongé, raide comme un rameau, les yeux fixés sur le plafond, à ressasser son amertume (Ce sale con me ment, me dit rien et me parle mal). Il finit par s'endormir vers trois heures du matin, totalement épuisé.

Le mardi ils vérifient les monte-charge de la halle à viande – Bayer ne se sent pas bien, il est végétarien et replonger dans les affres des barbaries sur animaux le rend tout nauséeux, il abandonne le chantier pendant plusieurs heures, laissant Lancelot régler les broutilles.

Ils ne se parlent toujours pas, Bayer passe la soirée dehors.

Le mercredi c'est au tour des ascenseurs en verre blindé de la tour Saturne.

Lancelot reçoit encore deux messages de Marie Marie. Il les archive. Quand il voit qu'elle appelle, il ne répond pas. Il se sent incapable de lui parler directement. Il ne fait qu'entreposer des messages de Marie Marie dans la mémoire de son téléphone avec la même exactitude obsessionnelle qui le poussait à emmagasiner des réserves de pilules bleues du docteur Epstein.

L'inspecteur Schneider lui laisse deux messages supplémentaires. Elle insinue qu'elle a des infos à lui donner, que ce serait bien qu'il l'appelle, mais Lancelot sait qu'elle n'a rien à lui apprendre, le second message le conforte dans cette certitude, elle évoque d'abord une convocation puis un mandat d'arrêt, elle prend un ton glacial mais Lancelot la devine démunie face à son silence. Il ne veut pas lui parler. Il écraserait bien son portable sous son talon si un geste aussi définitif ne le privait pas des messages de Marie Marie.

Lancelot et Kurt Bayer n'échangent pas un mot dans la journée du mercredi. Mais le soir en rentrant, avant que Lancelot ne parte s'enfermer dans sa chambre, Bayer lui lance, Je te prépare quelque chose ? Lancelot fait un signe de dénégation, et Bayer hausse les épaules, Comme tu veux, dit-il.

Une heure après, Lancelot, taraudé par l'odeur de pâtes à la tomate et par la culpabilité et la satisfaction d'avoir laissé Bayer faire le premier pas, sort de sa chambre et s'assoit à côté de Bayer à table. Celui-ci lui met une assiette et ils mangent en silence. Lancelot garde les sourcils froncés pour qu'il n'y ait aucune ambiguïté sur la possibilité d'une réconciliation trop précoce.

Le jeudi ils réparent les escalators du centre commercial de la tour Soleil – ceux qui montent au premier étage cette fois-ci –, intervention avant ouverture au public, vigiles avec rangers, chien et muselière, laveurs de vitres et femmes de ménage blouse bleu et blanc, genre robe de grossesse, col Claudine, qui plaisantent avec Bayer en espagnol, lui proposent des bonbons au citron et ne semblent pas même remarquer Lancelot. Celui-ci prend conscience de la facilité avec laquelle ils pourraient faire sauter chacun de ces temples. Et hop, un explosif planqué sous les marches de l'escalator…

Le jeudi soir, ils passent au supermarché. Ils remplissent un chariot de bières et de tofu. Lancelot regarde s'amonceler le contenu du chariot, poussant l'engin sans conviction. Il attend un moment que Bayer choisisse un après-rasage, celui-ci les ouvre les uns après les autres, il les renifle, les rebouche, consulte la liste des composants, marmonne et les replace dans le rayon.

C'est bon ? finit par demander Lancelot.

Mais Bayer ne répond pas et continue son test comparatif.

Lancelot prend son mal en patience, De toute façon qu'est-ce que j'ai d'autre à faire, adopte une pose plus confortable, les deux avant-bras sur le chariot, la tête dodelinant mollement.

Bayer reprend finalement son chemin en abandonnant l'idée d'acheter un après-rasage. Il continue de balancer des produits dans le chariot. Ils se dirigent vers la sortie. Bayer fait gentiment du gringue à la caissière qui s'appelle Sonia et rit en ne montrant pas ses dents. Il paie et ils sortent.

Bayer conduit jusqu'à sa maison, allume la radio dans la voiture, marmonne à Lancelot, Tu m'en ouvres une ? et boit sa bière.

Il y a du boulot demain ? demande Lancelot.

Puis il pense, Je le dérange, en fait je le dérange, mais il ne veut pas me le dire.

Bayer ne répond pas. Cependant Lancelot ne sent aucune hostilité dans ce silence. Il estime que Bayer n'est pas prêt à parler. Ils arrivent devant la maison, sortent leurs achats du coffre, il est tard, le chantier est silencieux, Lancelot range les provisions sur les étagères, Bayer boit encore une bière et lui dit, Viens, suis-moi.

Lancelot obtempère, la porte reste ouverte, il dit, Tu ne la fermes pas ? mais Bayer ne répond pas. Ils traversent la rue, puis le terrain vague à chats sauvages, ils dégringolent la pente et atteignent le canal qui passe là. Bayer se poste sur la rive, il lance des bouts de pain dur dans l'eau. Des têtes rondes et écaillées apparaissent. Le canal est infesté de tortues.

Si tu tombes dedans elles te bouffent, indique Bayer.

Il jette un coup d'œil à Lancelot et sourit, angélique.

Pourquoi tu leur files des biscottes alors ?

Bayer continue à émietter son pain, il explique :

Comme ça si je tombe dans l'eau elles me boufferont pas.

Lancelot hoche la tête sans bien comprendre.

Elles deviendront peut-être végétariennes à force, ajoute Bayer.

Lancelot écarquille les yeux mais il n'a pas envie d'aller plus avant. Il dit :

C'est incroyable toutes ces tortues… D'où viennent-elles ?

Bayer se penche et pour toute réponse émet un bruit de bouche comme pour les attirer.

Les plus grandes doivent faire un mètre, précise-t-il.

Lancelot acquiesce, il observe les têtes écailleuses des tortues, il voit le haut de leur carapace grise dépasser hors de l'eau, il les regarde plonger et réapparaître, celles qu'il aperçoit doivent mesurer tout au plus vingt centimètres. Elles ressemblent à de petits fantômes affamés. Il se dit, Faudra fermer la porte la nuit pour pas qu'elles rappliquent. J'aimerais pas qu'elles me bouffent les doigts de pied.

Le canal est large de trois mètres, il est envahi par les algues, une machine à laver rouille dans l'eau cul par-dessus tête un peu plus loin sur la droite, des taches d'essence forment des arcs-en-ciel mouvants, les rives sont moroses et vaguement bétonnées. Les roseaux font crisser dans le vent leurs feuilles coupantes comme des stylets. Un saule effleure la surface de ses branches. Il a un air découragé qui plaît à Lancelot. Un chat jaune s'approche de la berge, il observe les deux hommes et les tortues en se léchant les pattes et en clignant des yeux. Lancelot se dit, Il comprend des trucs que je ne comprends pas.

Bayer sourit en regardant les tortues. Quand il n'a plus de pain, il allume une cigarette, il propose, On rentre ? et il retraverse le terrain vague.

Lancelot le suit à quelques mètres de distance, tête en l'air, et mains dans les poches. Il se dit en humant l'air du soir, Je suis bien bien ici. Il s'arrête, se retourne et voit une tortue grimper sur la berge, ses pattes griffues luttant contre l'attraction terrestre. Il imagine les mômes venant libérer leurs reptiles dans le canal, les encourageant et sautant à pieds joints sur le bord. Il aperçoit le chat jaune qui s'approche et donne de menus coups de patte sur la carapace de la tortue, de délicats tapotements de coussinet. La tortue ouvre son bec en grand comme pour choper son agresseur. Une langue rose sort de sa gueule de minuscule dinosaure. Lancelot se dit, Si j'étais le greffier, j'irais faire un tour ailleurs. Le chat recule avec un élégant sursaut, il se détourne et s'en va en se dandinant, la queue bien à la verticale.

Lancelot fixe le ciel qui devient orange à l'ouest. D'un orange chimique qui lui ouvre l'appétit. Alors il se met à courir (Courir ? ça fait combien d'années que j'ai pas couru ?) et il rattrape Bayer avant que celui-ci n'atteigne la maison.

40

Qui est Paco ?

Paco est plutôt un type bien.

Tu peux m'en dire plus ?

Il a bossé dans des labos pendant longtemps. En blouse blanche, à faire les basses besognes, à confectionner des montagnes de produits chimiques qui devaient être expédiés et testés dans les pays sous-développés.

Des labos genre Promedan ? Ceux de Romero ?

Oui. Entre autres. Romero teste ses saloperies anticancer de l'intestin et ses nouveautés contraceptives (une pilule à l'année) sur les femmes d'Angola.

Alors vous avez fait sauter sa baraque.

C'est toujours ça, non ?

Continue sur Paco.

Un jour, il l'a ramenée. Gentiment tu vois. Pas agressif le gars. Mais il a posé une question de trop. Alors il s'est fait virer. Là-dessus, sa femme s'est barrée avec ses filles. C'est à cette époque qu'on me l'a présenté. Il n'avait plus grand-chose à perdre. Nous, des laborantins méticuleux et désespérés, on en manquait dans le mouvement.

Et puis il a rencontré Irina.

Je la lui ai présentée.

C'était quand ?

Il y a, quoi, dix ans... oui dix ans, à quelque chose près.

Dix ans...

Il est devenu le chienchien d'Irina. Elle, c'était une magnifique pétroleuse et lui il ne cherchait que ça, se rendre utile auprès d'une créature de ce genre.

Ils ont baisé ?

On s'en fout, non ?

Non.

Bon. En fait je ne pense pas. Il jouait un peu les protecteurs avec elle. C'était comme si elle avait eu un garde du corps permanent et loyal à la vie à la mort, il l'assistait aux réunions du Cric, il la briefait sur tout ce qui concernait les produits chimiques, leur destination, les cocktails possibles, à un moment je n'en pouvais plus de Paco, il y avait toujours cet épieu avec sa gueule de croque-mort à moins de cinq mètres d'Irina.

Toi tu étais toujours avec elle à l'époque ?

Avec elle, sans elle. Jamais loin de toute façon. J'ai pris mes distances quand j'ai rencontré Erika, la mère de Tralala. J'ai essayé de me mettre au vert. Irina était toujours très active, elle a commencé à partir à l'autre bout du monde pour faire ses docus animaliers. Elle a continué à militer. Avec Paco dans l'ombre. Il savait se mettre à l'écart quand il sentait qu'elle ne voulait plus de lui dans les parages. Ça peut être pesant, ce genre de type.

Et quand elle m'a rencontré ?

J'imagine qu'elle lui a signifié qu'elle avait besoin d'air.

Tu crois qu'il aurait pu vouloir la tuer ?

Paco ? Ah non. Tu connais pas le bonhomme. Je pense qu'il s'accuse de négligence, oui. Il a d'abord cru que je ne sais quelle organisation l'avait éliminée. Puis il s'est dit qu'elle avait juste fait une embardée sur le pont et qu'il aurait dû être là pour la conduire où elle voulait aller plutôt que de la laisser seule sur les routes verglacées.

C'était plutôt à moi de la protéger, non ?

Je ne sais pas, Paul. Je ne sais vraiment pas. Je ne sais même pas d'où vient cette saloperie qui en définitive lui a causé son arrêt cardiaque.

Et pourquoi Paco Picasso ?

Parce qu'il ne doit pas savoir que l'autre s'appelait Pablo.

41

Le vendredi ils ne travaillent pas. Bayer dit à Lancelot de faire ce que bon lui semble – Lancelot n'est jamais allé chercher ses affaires à la pension sur la petite place aux pompiers, il renonce à reprendre sa valise mais retourne vérifier que sa voiture n'a pas bougé, elle est toujours au même endroit avec ses comprimés d'iode et ses rouges à lèvres se transformant en huile dans la boîte à gants, il reste un instant à la regarder de loin, il n'en revient pas qu'elle soit encore à la même place, les objets disparaissent avec tant de régularité de son champ de vision et de son existence qu'il n'en revient pas que sa voiture soit toujours garée là, il s'assoit au volant, démarre et décide de la laisser dans cette rue, il la range simplement le long du trottoir d'en face pour que la fourrière ne s'en mêle pas, puis il fait à pied un tour en ville, une sorte de grande boucle molle, pour finir par se retrouver devant la boutique rouge de Bayer où celui-ci est censé être « occupé à trier la paperasse ».

En fait il n'y est pas.

Alors Lancelot s'assoit à la terrasse du bar numéros pairs et attend le retour de Bayer.

Celui-ci ne vient pas.

Lancelot, toujours aussi calme que s'il prenait encore les pilules du docteur Epstein, part vers les faubourgs de Camerone, vers la maison de Bayer, il attrape un tramway bringuebalant qui produit un tel bruit de ferraille qu'on se figure des étincelles crépitant de toutes parts, et arrive en fin d'après-midi devant la maison.

Il y a toujours la maison.

Mais il n'y a plus d'immeuble en construction.

Il a sauté.

Cinq voitures de police clignotent dans la rue, rangées n'importe comment le long du trottoir comme s'il y avait eu une quelconque urgence à débarquer là. Lancelot passe son chemin. Il aperçoit Bayer sur le pas de sa porte, fumant et buvant une tasse de café, contemplant avec placidité l'activité exaltée des flics, qui ne vont pas tarder à venir le voir, noter son nom tout neuf de Klaus Meyer et la date de naissance qu'il leur communiquera selon sa fantaisie du moment, puis qui lui demanderont s'il n'a pas d'aventure entendu quoi que ce soit de suspect, il leur répondra qu'il vient d'arriver, qu'il a passé la journée à son bureau pour la paperasse, qu'il ne comprend pas bien ce qui s'est produit, Pourraient-ils lui expliquer la situation ? Est-ce que c'est une histoire de mafia ou de conduite de gaz amochée par les marteaux-piqueurs ? La femme flic sourira, remarquera sans le savoir les cheveux laminaires de Bayer (quelque chose qui a à voir avec une Gorgone, ça s'enregistrera dans son cerveau et parasitera ses esprits animaux, elle ne pourra rien y faire, elle abdiquera), elle dira qu'elle n'est pas en mesure pour le moment de lui révéler la moindre information et s'éloignera en ondulant légèrement sans se rendre compte de ce qui se passe.

Lancelot fait demi-tour et traverse de nouveau la ville pour retourner à sa voiture.

C'est dorénavant, se dit-il, le seul endroit habitable pour lui.

Il pose sa tête sur le volant et se rétracte, il aimerait qu'il n'y ait plus le moindre souffle d'air en lui ni la moindre goutte d'eau, il aimerait être aussi sec qu'un paquet de café moulu et disparaître à force de momification.

Il allume la radio.

Les nouvelles ne sont pas bonnes.

IV

42

Lancelot pense à son mariage avec Irina en écoutant les mauvaises nouvelles du monde. C'est une pensée accablante et exquise comme si une grande solitude amicale lui tapotait l'épaule dans sa vieille carcasse de métal et de caoutchouc.

Ça lui évite de réfléchir à Bayer et à sa foire à la dynamite.

Lancelot est toujours assis dans sa voiture, le front sur les mains et les mains sur le volant. Il écoute à la radio l'histoire brève de la vie brève d'une fille dont le corps a été retrouvé sans vie (mort ?) pendant un festival de rock, il écoute les analyses de la situation dans le Moyen-Orient, il écoute le récit des intempéries sur le nord du pays et les spécialistes qui assurent que ça n'a rien à voir avec le réchauffement climatique, il écoute un médecin mettre en garde les consommateurs à propos de l'utilisation d'un rouge à lèvres vendu en grande surface qui contient de l'anhydride d'ammoniaque, Lancelot augmente le son, il fouille la boîte à gants et, au moment où le présentateur répète la marque du rouge à lèvres incriminé (Rouge de Rouge), Lancelot retrouve les deux tubes d'Irina, il avale sa salive, sent son cœur vaciller dans sa cage thoracique, il a l'impression qu'il se coince dans son gosier, le type à la radio décrit la mort brutale qui survient après absorption lente mais continue de ce poison, une enquête sanitaire va être lancée, et un scandale pointe, Lancelot souffre des contradictions de sa belle, le patron de la boîte de cosmétiques qui a mis ce rouge à lèvres sur le marché parle de l'impossibilité du risque zéro. Lancelot réfléchit à cette question, il l'examine avec attention.

Il démarre.

Sur le chemin il soupèse ce qu'il y a à soupeser dans la vie qu'il a menée avec sa bien-aimée. On a passé, quoi, deux ans et demi, trois ans ensemble, et la plupart du temps elle était en vadrouille. Il considère sa bouffe macrobiotique et ses rouges à lèvres tueurs, ses voyages au kérosène et son militantisme au TNT. Il se sent excité et indigné. Ce qui n'est pas dans sa nature.

Il se dit, Je vais suffoquer. Il se dit, Je suis un homme qui suffoque. De façon incongrue lui revient en mémoire la façon dont Irina parlait de ses orgasmes, elle les racontait et les décrivait comme elle aurait exposé ses rêves au moment du petit déjeuner. Un jour elle lui avait dit, Quand je jouis j'ai parfois une vision. Là c'était une assemblée en plein air avec tout un tas de gens qui portaient un stetson. Ça faisait comme une mer de stetson. Et ne plus pouvoir vivre avec une femme qui lui dévoilait ainsi une partie de ce qui implosait délicatement dans sa tête, chaque jour, une poignée de neurones, à chaque éternuement, à chaque verre de vodka, à chaque orgasme, est inacceptable.

Il traverse la ville.

Il entend les mouettes criailler au-dessus de sa voiture, elles semblent si nombreuses que leur multitude l'inquiète, il jette un œil en se penchant sur son volant,

Ma douce ma tendre mon trésor

il pense aux tortues, Les tortues, se dit-il, elles vont se faire bouffer par les mouettes, il y a trop de mouettes ici,

Ma doucette

les mouettes lui apparaissent comme des bestioles carnassières aux becs aussi aiguisés que des ciseaux à couture, il les entend se battre, il s'arrête à un feu rouge, personne ne lève les yeux pour observer leur ballet massacreur, les plumes volent au-dessus de sa voiture, du duvet vient se coller à son pare-brise, il démarre, il se dit, Ce ne sont pas des mouettes, des cormorans peut-être, ou bien des goélands, ceux qui ne se posent jamais sur terre ou si peu souvent, je me souviens d'avoir ri devant un documentaire sur ces oiseaux, ils atterrissaient totalement déséquilibrés, ils étaient grotesques et pathétiques, alors j'avais ri, et Irina qui était là bien sûr s'était rembrunie, elle avait dit, S'il te plaît, elle avait froncé les sourcils et avait répété, S'il te plaît,

Ma princesse mon colibri mon soleil

il y a des mouettes (ou des cormorans ou des goélands), des acacias et des passants sur les trottoirs pavés, des passants qui ne savent pas fabriquer des bombes et se préoccupent de choses dont il faudrait toujours se préoccuper sans jamais chercher à ouvrir les petites boîtes que l'on entrepose en soi,

Ma chérie

parfois on ouvre la petite boîte et on la referme prestement parce que ce n'est pas beau à voir ce qu'on y a laissé, c'est comme la resserre d'une maison, un endroit où l'on abandonne ce qui ne sert pas mais ne peut être éliminé, un endroit où le désordre règne,

Mon cœur

ou plus précisément un chaos stratifié, les gens marchent, ils ne voient pas les mouettes s'arracher les plumes, C'est une pluie de plumes sur mon capot, ils ferment la petite boîte aussitôt qu'entrouverte et c'est bien mieux ainsi, n'est-ce pas, sinon on se mettrait tous à fabriquer des bombes,

Mon cœur

les immeubles s'espacent, de minuscules jardins apparaissent avec des baraques en tôle, des cabanes où entreposer les fourches, les pesticides et les râteaux, des cabanes où placer une chaise quand d'aventure il se met à pleuvoir, on peut s'asseoir là, près de la porte en général cadenassée, la porte cadenassée de la maison en tôle, il suffit du souffle d'un loup, un petit loup suffit, pour la faire voler en éclats, on s'assoit donc là devant la porte, abrité certes, et si agréablement pénétré de l'odeur de la terre quand la pluie la trempe,

Mon cœur

Lancelot s'éloigne du centre-ville, il n'aurait jamais cru pouvoir aimer les faubourgs d'une ville, il n'y a plus de mouettes mais leurs plumes comme les reliefs d'une guerre recouvrent le capot, Lancelot soupire,

Mon cœur

il pense au temps où il faisait partie des gens qui remercient la machine à café quand ils en retirent leur gobelet fumant, Merci, disent-ils à la machine, et ils se mettent à jeter des coups d'œil confus alentour pour vérifier que personne ne les a entendus remercier une machine,

Oh non,

et puis aussi Lancelot s'excusait quand on lui écrasait les pieds, Irina était perplexe, Pardon, disait-il quand on le bousculait, mais plus par distraction que par soumission, Lancelot ne se sentait pas inféodé, il se sentait légèrement à l'extérieur du monde, et Irina disait, C'est troublant, ce sont les femmes qui s'excusent toujours normalement, elles ont des millénaires d'excuses derrière elles, et Lancelot haussait les épaules et Irina était séduite, c'est sûr, par ce haussement d'épaules,

Ma mie

Lancelot traverse les faubourgs, il a ouvert la fenêtre de sa portière, il attend au feu rouge, met son bras au-dehors, reconnaît le chant d'une bergeronnette,

Il y a des bergeronnettes ici ?

il pense aux tortues, aux mouettes belliqueuses et aux bergeronnettes, il imagine une fraction de seconde la ville aux mains des bêtes sauvages (aux mains ?), il sourit, il aperçoit déjà les décombres fumants du bâtiment plastiqué, la fumée est encore très noire, elle lutte pour disséminer ses particules de verre et de béton dans l'air du soir, il tourne dans la rue où il habite avec Bayer, il y a bien là la maison à l'ombre du platane centenaire, Lancelot continue de sourire, il se gare et sort de sa voiture d'un bond, peut-être un bond maladroit, mais déjà léger et indubitablement bravache – narguant la gravité et défiant l'asphyxie.

43

La porte d'entrée est grande ouverte. Sans doute pour favoriser les courants d'air et l'élimination des poussières en suspension dans l'atmosphère.

Lancelot reste sur le seuil un instant. Interloqué. Tout a disparu. La table, les chaises, le four déglingué, le frigo recouvert de cartes postales maintenues par des aimants, la lampe verte et laide, d'une laideur de vieille moquette, le réveil qui tictaquait sa condamnation chagrine au-dessus du frigo évaporé. Il se dit, Merde merde merde, ç'a jamais été à ce point…

Il fait un pas dans la pièce vide.

Il ne reste que la télévision. Elle est allumée. Ce qui pourrait, somme toute, être angoissant. Lancelot se poste devant l'écran, le voilà captif, une présentatrice apparaît tout en plastique ignifugé. C'est très rassurant, cette fille qui lui parle de météo, de cumulonimbus et de force des rafales, de ciel de traîne et de fête à ne pas oublier de souhaiter, elle agite ses bras comme un papillon prisonnier d'un filet ses ailes. Elle porte un habit étrange et lacé qui laisse échapper des boursouflures de chair, on dirait le rôti d'une viande livide. Lancelot se secoue et ne peut que s'éloigner pour contrer les effets de la testostérone. Il sort dans le jardin. Il se sent démuni et abandonné. Il ferait peut-être mieux de rester assis par terre devant l'écran de télévision à regarder les jolies filles en plastique évoluer dans leur aquarium, en attendant que les autorités fassent le rapprochement entre la maison de Bayer et l'immeuble plastiqué, on lui enverrait des malabars en blouse blanche qui viendraient le déloger de la masure, ils l'emmèneraient dans un endroit où l'on traite les gens comme lui mais Lancelot ne se laisserait pas faire, il ferait bonne figure, il jouerait au patient docile mais il foutrait le feu à l'hôpital en moins de deux. En hommage à qui vous savez.

Lancelot aperçoit la camionnette de Bayer garée de l'autre côté de la rue un peu plus loin. Il voit le sommier amarré avec des tendeurs sur le toit du véhicule. Rien ne s'est donc volatilisé. Bayer est simplement en train de déguerpir.

Lancelot ne perçoit aucun mouvement près de la camionnette. Alors il fait le tour de la maison, il marche dans les pissenlits suffoqués et les chardons friables, il remonte le col de son tee-shirt sur le nez, l'air est difficilement respirable. Il voit le puits et la dalle de béton posée à côté du puits dans l'herbe pelée. Il s'approche et se penche au-dessus de la margelle. Il perçoit au fond une torche qui fait des va-et-vient et un bruit de raclement humide, des coquillages qu'on écrase, de la boue qu'on piétine, quelqu'un qui s'active. Il n'y a pas d'eau au fond de ce puits.

Bayer, crie Lancelot au trou obscur.

La lumière s'immobilise, tout devient silencieux. Puis Lancelot entend sortir du puits la voix déformée de Bayer qui lui lance, Donne-moi un coup de main. On dirait qu'il a trouvé refuge au fond d'une grotte, il installe peut-être un bunker troglodyte antimissiles dans les profondeurs du puits. Puis Lancelot entend, Tire la corde.

Lancelot s'exécute, ce n'est pas trop difficile, Bayer a mis au point un système avec poulie et contrepoids, Lancelot extirpe du puits deux jerricans attachés l'un à l'autre, il dénoue la corde et la refait passer par-dessus la margelle, il la voit dégringoler comme un serpent qui tombe à l'eau, puis se tendre, Bayer continue son manège pendant un moment, le jour décline, Lancelot ne pose aucune question, il ressent une relaxante impression de bien-être à effectuer ces gestes simples, il commence à faire vraiment sombre, Lancelot voit juste la lampe qui bouge tout au fond du puits, il attend que Bayer tire deux coups sur la corde et il la remonte, il y a maintenant douze jerricans d'essence à côté du puits. Bayer grimpe à l'échelle métallique et refait surface. Il indique à Lancelot de l'aider à remettre la dalle en place.

Je n'en ai besoin que de trois, dit-il en désignant les jerricans, va ranger les autres dans la camionnette. Lancelot installe les jerricans sur un diable et il traverse la rue, il respire calmement, il place les jerricans dans la fourgonnette, On a du pain sur la planche, se dit-il, il case les jerricans près du vélo, il y a le frigo, la lampe verte et moche, la table les quatre fers en l'air, le vieux four, il dépose le diable par-dessus le tout, On a du pain sur la planche, Lancelot referme les portes en essayant de ne rien coincer et de ne pas faire trop de bruit (précaution assez inutile, il n'y a plus autour d'eux que le canal à tortues et les décombres de l'immeuble), il se tourne vers la maison et voit Bayer courir vers lui en traversant la rue, Monte, crie celui-ci, Lancelot aperçoit déjà une lueur mouvante par la fenêtre de la maison, il entend un bruit de verre qui explose, des milliers de bris scintillants, Monte, répète Bayer qui ouvre la portière conducteur, Lancelot grimpe à côté de Bayer, mais il n'arrive pas à quitter des yeux la maison qui se met à enfler et brûler, il se sent excité, terrorisé et joyeux, d'une joie enfantine, J'ai huit ans, il a les yeux écarquillés, Bayer démarre, J'ai huit ans et tout l'avenir devant moi qui se déroule comme une grande pente caillouteuse, je suis sur mon skateboard et je vais bientôt me jeter du haut de cette côte, Bayer embraie et la camionnette fait un bond en avant, il dit, À la prochaine cabine, on s'arrête, je t'attendrai, tu sors appeler les pompiers, je ne voudrais pas que le platane finisse cramé. Bayer jette un coup d'œil vers Lancelot pour le jauger, il esquisse un sourire puis se concentre sur la route, il vire à gauche, traverse le pont au-dessus du canal et sort de la zone, Lancelot s'enfonce dans son siège, il se sent prêt à signer un traité de paix, un accord à la vie à la mort, son désir de réconciliation palpite dans ses veines et illumine son visage, il dit tout haut, On a du pain sur la planche. Bayer hausse les sourcils.

Lancelot sourit.

Et pour lui-même, parce qu'il n'a pas encore le cran de dire cela tout haut, parce qu'il se sentirait ridicule mais qu'il a besoin de cet énoncé pour vraiment croire à ce qu'il fait là, Lancelot pense, Mon nom de guerre sera Paul.

9017

Composition
NORD COMPO

Achevé d'imprimer en France (Malesherbes)
par MAURY-IMPRIMEUR
le 26 juillet 2009.

Dépôt légal juillet 2009.
EAN 9782290014691

ÉDITIONS J'AI LU
87, quai Panhard-et-Levassor, 75013 Paris
Diffusion France et étranger : Flammarion